CARLO GUASTALLA
CIRO MASSIMO NADDEO

domani

1

CORSO DI LINGUA
E CULTURA ITALIANA

ALMA

redazione: **Euridice Orlandino** e **Chiara Sandri**   illustrazioni interne: **Luca Usai**
progetto grafico e impaginazione: **Lucia Cesarone**   fumetto: **Werther Dell'edera**
progetto copertina: **Sergio Segoloni**

desideriamo ringraziare tutti coloro che hanno controllato e sperimentato i materiali ed in particolare:
Roberto Aiello, Filippo Graziani, Filomena Anzivino, Katia D'Angelo, Prado Martin, Franco Pauletto, Giovanna Rizzo,
Fabrizio Ruggeri, Paolo Torresan, Giuliana Trama, Manfred Zimmer.
vogliamo ringraziare anche tutti quelli che hanno prestato la loro voce per i brani audio ed in particolare:
James Leachman, Daniel McCarthy, Antonio D'Amico, Sarah Prost, Pedro Rocha, Kilian Heller, Yri Abe, Teresa Fallai,
Filippo Graziani, Katia D'Angelo, Sabrina Galasso, Maria Zanella, Diana Pedol, Simone Iovino, Matteo Capanni,
Fiammetta Jahier.

dediche:

▸ Oltre a ringraziare Katia e tutti coloro che mi sono stati accanto, voglio dedicare questo libro
   a chi mi ha lasciato in questi ultimi due anni, per quanto ha saputo e voluto darmi prima.
   Carlo

▸ Ad Ale, con cui tutto è iniziato, molti anni fa.
   E un ringraziamento speciale a Giuliana per aver condiviso con me questo lavoro con l'aiuto costante,
   le idee, i consigli e molto altro ancora...
   Massimo

Il **DVD** contiene tutti i materiali multimediali audio/video necessari per svolgere le lezioni e usare il libro.
I materiali multimediali sono contrassegnati all'interno del libro dalle seguenti icone:

          brani di ascolto per le attività di classe

 esercizi   brani audio per l'autoapprendimento

          brani audio per le attività di fonetica

DVD   altri multimedia (cortometraggio, fumetto animato, ecc.)

N.B. utenti Mac: Se si apre automaticamente il programma di lettura DVD, chiudere il programma.
          Cliccare sull'icona **DOMANI1** che compare sul desktop. Entrare nella cartella **ROM** e fare clic sul file **Menu_MAC**.

I brani di ascolto per la classe e gli audio per le attività di fonetica sono disponibili anche su supporto
CD audio, acquistabile a parte.

ALMA Edizioni
viale dei Cadorna, 44
50129 Firenze
tel +39 055 476644
fax +39 055 473531
alma@almaedizioni.it
www.almaedizioni.it

© 2010 ALMA Edizioni
Printed in Italy
ISBN 978-88-6182-196-5

▸ indice

comunicazione	grammatica	lessico	testi scritti e *orali*	cultura

unità 0 | come ti chiami?
pagina 11

comunicazione	grammatica	lessico	testi scritti e *orali*	cultura
• Chiedere e dire il nome • Le espressioni *Che significa?, Come si scrive?, Come scusa?* • Le operazioni aritmetiche • Salutare	• L'alfabeto • I numeri da 1 a 30 • Il verbo *chiamarsi* (io, tu, lui/lei)	• I nomi propri • I saluti	• *I saluti* 🔊 • *L'alfabeto* 🔊	• Modi per salutarsi • Nomi propri più diffusi

unità 1 | di dove sei?
pagina 18

comunicazione	grammatica	lessico	testi scritti e *orali*	cultura
• Chiedere e dire la provenienza e la destinazione	• I verbi *andare* e *essere* (io, tu, lui/lei)	• Le espressioni *grazie, prego, scusa* • Stazione e aeroporto	• Scritte in luoghi pubblici • *Annunci alla stazione* 🔊 • *Dialogo in treno* 🔊	• Città italiane • Fare conoscenza

unità 2 | mi dai il tuo numero?
pagina 23

comunicazione	grammatica	lessico	testi scritti e *orali*	cultura
• Chiedere e dare il numero di telefono • Chiedere l'età	• Il verbo *avere* (io, tu, lui/lei) • I numeri da 0 a 100	• Dati anagrafici	• *Dialogo in treno* 🔊	• Scambiare i dati anagrafici

unità 3 | tutti in piazza!
pagina 26

comunicazione	grammatica	lessico	testi scritti e *orali*	cultura
• Aprire una telefonata • Concordare il luogo di un appuntamento • L'espressione *Come si dice in italiano...?*	• I nomi	• Luoghi della città	• Volantino • *Dialogo in treno* 🔊	• Ecologia • Città italiane

▸ Storia a fumetti Episodio 1 — pagina 30
▸ Fonetica I suoni [k] e [tʃ] / I suoni [g] e [dʒ] — pagina 32

unità 4 | una notte a Roma
pagina 34

comunicazione	grammatica	lessico	testi scritti e *orali*	cultura
• Prenotare una camera • Chiedere e dire il prezzo • Dire la nazionalità	• I numeri da 100 a 1000 • I verbi *essere, avere* e *andare* (noi, voi, loro) • I verbi regolari in *-are, -ere* e *-ire* • Gli aggettivi di nazionalità • Gli aggettivi in *-o/-a, -e*	• Tipi di alloggio • Tipi di camere e servizi • Nomi delle nazioni	• E-mail • Modulo di prenotazione • *Dialogo alla reception* 🔊	• Alloggiare in Italia

unità 5 | che ore sono?
pagina 41

comunicazione	grammatica	lessico	testi scritti e *orali*	cultura
• Protestare / Imprecare • Chiedere e dire l'ora • Collocare qualcosa nel tempo • I saluti della giornata • Fare una richiesta	• Gli interrogativi *Come...?, Quale...?, Che...?* • Gli articoli determinativi e indeterminativi • Le congiunzioni *e, o, ma* • Il condizionale di cortesia *vorrei*	• Tipi di saluto • Le ore	• *Dialogo tra turisti* 🔊 • Biografia a fumetti	• Città d'arte • Imprecare e insultare • Quando e come si saluta • Modi di indicare gli orari • Caravaggio

unità 6 | di che colore è?
pagina 48

comunicazione	grammatica	lessico	testi scritti e *orali*	cultura
• Descrivere un albergo • I colori	• La frase dichiarativa, interrogativa ed esclamativa	• Gli aggettivi qualificativi • I colori	• Annunci web	• Pittura italiana

▸ Storia a fumetti Episodio 2 — pagina 52
▸ Fonetica I suoni [l] e [r] / L'accento di parola — pagina 54

▼ modulo 1 | Geografia

▼ modulo 2 | Arti

▸ indice

	comunicazione	grammatica	lessico	testi scritti e *orali*	cultura

modulo 3 | Società

unità 7 | che lavoro fai?　　　　pagina 56

comunicazione	grammatica	lessico	testi scritti e *orali*	cultura
• Chiedere e dire il lavoro	• I verbi in -isco • Gli articoli determinativi • La concordanza articolo-nome-aggettivo • Il verbo *fare* • I nomi delle professioni	• Generi cinematografici • I nomi delle professioni	• Trame di film • *Servizio radiofonico* 🔊	• Film italiani • Nuovi lavori

unità 8 | bene, grazie, e Lei?　　　　pagina 63

comunicazione	grammatica	lessico	testi scritti e *orali*	cultura
• Informale / Formale • Chiedere a una persona come sta e rispondere • Chiedere e rispondere al bar	• I verbi modali *dovere, potere, volere* • Le preposizioni di luogo *da, a* e *in*	• Tipi di pane e pizza • Tipi di caffè al bar • I giorni della settimana	• *Dialogo dal barbiere* 🔊 • Articolo di giornale	• Convenevoli • Le botteghe • Pane, pizza e altro • Prendere il caffè • Modi di dire

unità 9 | al bar　　　　pagina 69

comunicazione	grammatica	lessico	testi scritti e *orali*	cultura
• Salutare in modo informale e formale • Richiamare l'attenzione di qualcuno in modo informale e formale • Chiedere e dire il prezzo	• Gli articoli indeterminativi	• Cibi e bevande al bar • Tipi di acqua	• *Dialogo al bar* 🔊 • Menù	• Andare al bar

▸ Storia a fumetti Episodio 3　　　　pagina 74
▸ Fonetica I suoni [sk] e [ʃ] / Le doppie　　　　pagina 76

modulo 4 | Società

unità 10 | la mia giornata　　　　pagina 78

comunicazione	grammatica	lessico	testi scritti e *orali*	cultura
• Dire a che ora si fa una cosa • Dire in che momento della giornata si fa una cosa	• I verbi riflessivi • *Anche / Neanche* • Gli articoli con i giorni della settimana • I possessivi	• Azioni quotidiane • Gli avverbi di frequenza • I giorni della settimana	• Fumetto umoristico • Forum	• Il bagno in Italia

unità 11 | in famiglia　　　　pagina 84

comunicazione	grammatica	lessico	testi scritti e *orali*	cultura
• Parlare della propria famiglia • Esprimere accordo o disaccordo • Fare una proposta e accettare • Incoraggiare • Introdurre un nuovo discorso	• Gli aggettivi possessivi e i nomi di parentela • *C'è / Ci sono* • I numeri dopo 1.000	• Nomi di parentela • Oggetti personali	• *Dialogo a casa* 🔊 • Lettere ad un giornale	• La famiglia italiana

▸ Storia a fumetti Episodio 4　　　　pagina 90
▸ Fonetica I suoni [ʎ] e [ɲ] / Le doppie　　　　pagina 92

▸ indice

comunicazione	grammatica	lessico	testi scritti e *orali*	cultura

unità 12 | in treno o in macchina? pagina 94

comunicazione	grammatica	lessico	testi scritti e *orali*	cultura
• Chiedere e dare semplici informazioni stradali • Chiedere e indicare la durata di un percorso	• I numeri ordinali • *Stare* + gerundio • Il pronome di luogo *ci*	• I cartelli stradali • Gli avverbi di luogo • I mezzi di trasporto	• *Dialogo al telefono* 🔊	• Geografia d'Italia • I trasporti

unità 13 | c'è anche questo pagina 104

comunicazione	grammatica	lessico	testi scritti e *orali*	cultura
• Dare ed eseguire istruzioni • Chiedere e dire l'indirizzo • Esprimere sorpresa • Sottolineare una risposta • Cambiare discorso	• L'imperativo informale affermativo e negativo • I pronomi dimostrativi *questo* e *quello* • I pronomi diretti *lo, la, li, le*	• La città: locali, trasporti, ecc.	• Consigli turistici • SMS • *Dialogo in taxi* 🔊	• Il turismo d'arte

▸ Storia a fumetti Episodio 5 pagina 112
▸ Fonetica I suoni [v] e [b], [p] e [b], [v] e [f], [t] e [d] pagina 114

unità 14 | mi piace moltissimo! pagina 116

comunicazione	grammatica	lessico	testi scritti e *orali*	cultura
• Informarsi sul tempo libero e rispondere • Capire che cosa una persona ama o non ama fare • Indicare una preferenza	• Le preposizioni articolate • Il verbo *piacere* • I pronomi indiretti	• Azioni del tempo libero	• Biglietti e manifestini • *Canzone* 🔊 • *Dialogo ad un concerto* 🔊	• Locali pubblici • Musica italiana

unità 15 | il concerto è andato bene! pagina 123

comunicazione	grammatica	lessico	testi scritti e *orali*	cultura
• Raccontare eventi passati • Ricostruire l'ordine cronologico di un racconto	• Gli avverbi di luogo e di tempo • Le preposizioni di tempo *dal – al, fa, fra, nel* • Il passato prossimo • Il participio passato		• Discussione in chat	• Il tempo libero

unità 16 | ieri sera pagina 128

comunicazione	grammatica	lessico	testi scritti e *orali*	cultura
• Chiedere e dire la data • Fare una proposta • Accettare e rifiutare • Concordare un appuntamento	• La scelta dell'ausiliare nel passato prossimo • Il pronome relativo *che*	• Le espressioni di tempo • La data	• Articolo di giornale	• Spettacoli dal vivo • Roberto Benigni • La Divina Commedia

▸ Storia a fumetti Episodio 6 pagina 134
▸ Fonetica L'accento della frase / La frase dichiarativa, interrogativa ed esclamativa pagina 136

○ Appendici pagina 137
○ Cortometraggio "Petali" pagina 146
○ Esercizi unità 0 pagina 150
○ Esercizi, test e bilancio modulo 1 pagina 152
○ Esercizi, test e bilancio modulo 2 pagina 160
○ Esercizi, test e bilancio modulo 3 pagina 169
○ Esercizi, test e bilancio modulo 4 pagina 179
○ Esercizi, test e bilancio modulo 5 pagina 188
○ Esercizi, test e bilancio modulo 6 pagina 197
○ Grammatica pagina 207
○ Griglia di comparazione tra le competenze pagina 224

▼ modulo 5 | **Geografia**

▼ modulo 6 | **Arti**

▸ Domani e l'approccio globale

Domani rappresenta la sintesi compiuta della visione didattica che ha caratterizzato fino ad oggi ALMA Edizioni. Si propone infatti come il punto d'arrivo di anni di produzione editoriale, sperimentazione e ricerca, nel corso dei quali ALMA Edizioni ha sviluppato e brevettato l'approccio globale, l'innovativo metodo alla base di Domani i cui principi sono enunciati nel manifesto stampato nella terza di copertina di questo volume.

▸ Com'è Domani?

▸ Ogni livello è organizzato in moduli culturalmente connotati e classificati in base a differenti aree tematiche: geografia, arti, società, storia, lingua.

geografia
arti
società
storia
lingua

▸ A loro volta i moduli sono divisi in agili unità che propongono un percorso di apprendimento che mette in grado lo studente di sviluppare le diverse competenze in modo efficace e adeguato ai bisogni comunicativi reali.

▸ Dal punto di vista metodologico, la particolarità di Domani consiste principalmente nella dimensione attiva e vitale in cui viene immerso lo studente, fatta di input suggestivi e coinvolgenti, compiti non banali, attività creative, autenticità delle situazioni, contesti credibili e non pretestuosi che si sviluppano per fili conduttori immediatamente ricollocabili (personaggi, situazioni e storie ricorrenti).

▸ Da qui la scelta di privilegiare un approccio globale alla lingua, centrato su una testualità che oltre agli aspetti morfosintattici affronta – in modo sempre consono al livello di studio – quelli pragmatici, conversazionali, lessicali e socioculturali.

▸ Domani 1

Domani è indirizzato a studenti adulti e adolescenti ed è organizzato in tre livelli:

▸ **Domani 1** (A1) ▸ **Domani 2** (A2) ▸ **Domani 3** (B1)

Il livello A1 di Domani si compone di:

- ▸ un **libro dello studente**

  provvisto di **eserciziario** con
  - 16 unità organizzate in 6 moduli
  - gli esercizi
  - i test di autovalutazione
  - una storia a fumetti
  - le attività didattiche per il cortometraggio
  - la grammatica

- ▸ **DVD multimediale** con
  - i brani audio per le attività di classe
  - i brani audio per l'autoapprendimento
  - un cortometraggio con attività didattiche
  - il fumetto animato
  - le canzoni
  - i glossari
  - le chiavi degli esercizi

- ▸ una **guida per l'insegnante**

Domani 1 è disponibile in due versioni: **solo libro** e **libro + DVD multimediale**. Il DVD contiene tutti i materiali audio/video necessari per svolgere le lezioni e usare il libro.

I brani di ascolto per la classe e gli audio per le attività di fonetica sono disponibili anche su supporto CD audio, acquistabile a parte.

Tutti i materiali multimediali sono fruibili anche all'indirizzo **www.almaedizioni.it**, sul sito dedicato a Domani.

Domani ha un'impostazione innovativa, caratterizzata da un approccio globale e un coinvolgimento multisensoriale che permette un'immersione totale nella lingua, nella cultura e nella società italiana.

Ogni **modulo** si apre con:

▸ l'indice delle unità che compongono il modulo

▸ l'indice delle strutture grammaticali e degli elementi di comunicazione affrontati nel modulo

Ogni **unità** si apre con:

▸ l'anticipazione delle strutture grammaticali e degli elementi di comunicazione affrontati nell'unità

▸ un'attività introduttiva al tema con stimoli visivi originali e motivanti secondo un approccio di attivazione costante delle pre-conoscenze dello studente

In **Domani** lo studente viene messo in grado di sviluppare le diverse competenze in modo efficace e adeguato ai bisogni comunicativi reali attraverso attività varie e dinamiche per la pratica e lo sviluppo delle quattro abilità.

● ascoltare

I brani di ascolto sono presentati attraverso originali attività di comprensione. Le attività di analisi della lingua orale pongono particolare attenzione all'**analisi conversazionale** e pragmatica.

● leggere

Le letture appartengono a vari generi testuali e sono proposte attraverso percorsi di comprensione originali e motivanti. Le attività di analisi della lingua scritta riservano particolare attenzione all'**analisi lessicale**.

● scrivere

Le attività di produzione scritta sono sempre funzionali all'inserimento attivo e consapevole dello studente all'interno del contesto di studio sia in Italia che all'estero.

● parlare

Vengono proposti spunti di conversazione stimolanti, che danno la possibilità allo studente di esprimersi fin dall'inizio in italiano, in un'ampia varietà di contesti socio-culturali.

In Domani particolare attenzione è riservata al coinvolgimento e all'**aspetto cooperativo** dell'apprendimento con la proposta di attività originali, creative e giocose e allo stesso tempo regolate e strutturate.

▶ L'impostazione grafica chiara e stimolante permette un uso piacevole e rapido sia per l'insegnante che per lo studente.

▶ Attenzione costante viene dedicata alle diverse fasi dell'apprendimento e agli strumenti utili per sostenere e stimolare la motivazione, la capacità di analisi e la curiosità dello studente.

▶ riquadri
chiari e sintetici caratterizzati in base alla tipologia dei contenuti (funzionali, culturali, comunicativi).

▶ giochi
che consentono allo studente di lavorare con i compagni (in coppie, in piccoli gruppi, in squadre) in un'atmosfera ludica e rilassata.

▶ attività analitiche
che portano naturalmente lo studente alle regole grammaticali a partire dall'esperienza linguistica attraverso procedimenti induttivi.

▶ pagina della fonetica
dedicata alla pronuncia ed al rapporto tra grafia e pronuncia.

▶ sintesi riassuntiva
che coinvolge lo studente in prima persona nella riflessione sulle funzioni comunicative e i contenuti linguistico-grammaticali trattati.

Domani è ricco di materiali e strumenti multimediali utili sia all'insegnante per organizzare il lavoro in classe sia allo studente per proseguire lo studio a casa.

▶ storia a fumetti

Creata allo scopo di dare allo studente la possibilità di scoprire il piacere di leggere un fumetto in italiano, la storia percorre tutto il volume. Alla fine di ogni modulo infatti, secondo una progressione delle strutture comunicative affrontate, viene presentato un episodio della storia in un crescendo di suspense che coinvolge lo studente e lo porta a contatto con la realtà della lingua viva, fuori dai canoni consueti dell'apprendimento.

Nel DVD è disponibile la **versione animata** della storia, che offre allo studente ed all'insegnante la possibilità di scegliere diverse tecniche di uso del fumetto.

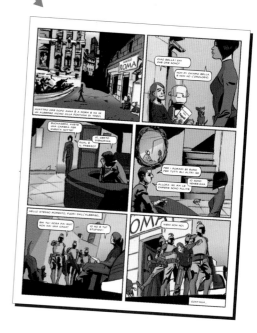

▶ cortometraggio

Il film breve "Petali" offre numerosi spunti di approfondimento per entrare in contatto con la dimensione sociale e culturale italiana attraverso il linguaggio e la struttura peculiare cinematografica.

Il cortometraggio è visionabile con o senza sottotitoli in italiano.

Nel DVD sono disponibili numerose attività ed esercizi.

▶ La sezione di **autovalutazione** delle competenze e delle strategie di apprendimento coinvolge direttamente lo studente portandolo a riflettere su di sé, sui propri bisogni e sulle proprie potenzialità.

▶ Ogni unità è corredata di una sezione di **esercizi** per consolidare e sistematizzare le strutture grammaticali affrontate.

▶ Alla fine del volume una **grammatica** riassuntiva permette allo studente di avere un quadro d'insieme chiaro ed esauriente sui temi affrontati.

vai sul sito **www.almaedizioni.it** e scarica gratuitamente video, canzoni, test, glossari, attività extra, esercizi interattivi e moltissimi altri materiali.

comunicazione

Chiedere e dire il nome
► *Come ti chiami?*
► *Mi chiamo...*

Le espressioni
Che significa?, Come si scrive?, Come scusa?

Le operazioni aritmetiche
► *più, meno, uguale*

Salutare ► *ciao, buongiorno, buonasera, arrivederci*

grammatica

L'alfabeto

I numeri da 1 a 30

Il verbo *chiamarsi*
(io, tu, lui / lei)

1 Introduzione

1a *Scrivi il tuo nome.*

  ■ Come ti chiami?
  ● Mi chiamo _____.

1b *Vai alla lavagna insieme ai compagni e scrivete il vostro nome.*

1c *Conosci dei nomi italiani di persona sia maschili che femminili? Scrivili alla lavagna insieme ai compagni.*

2 Gioco | Il domino delle parole

2a *Hai 2 minuti di tempo: scrivi su un foglio tutte le parole italiane che ricordi.*

2b *Lavora con la tua squadra. Scambiatevi le parole che avete scritto e scrivetele su un altro foglio. Se non capisci qualche parola, chiedi "che significa" ai compagni.*

Che significa?

2c *A turno uno studente per squadra dice una parola della sua lista. Se è accettata dall'insegnante come parola italiana, il turno passa all'altra squadra, altrimenti lo stesso studente deve dirne un'altra. Perde la squadra che resta senza parole da dire.*

3 Ascoltare | Un mare di parole

3a *Rilassati ed ascolta. Cerca di riconoscere le espressioni in italiano.* 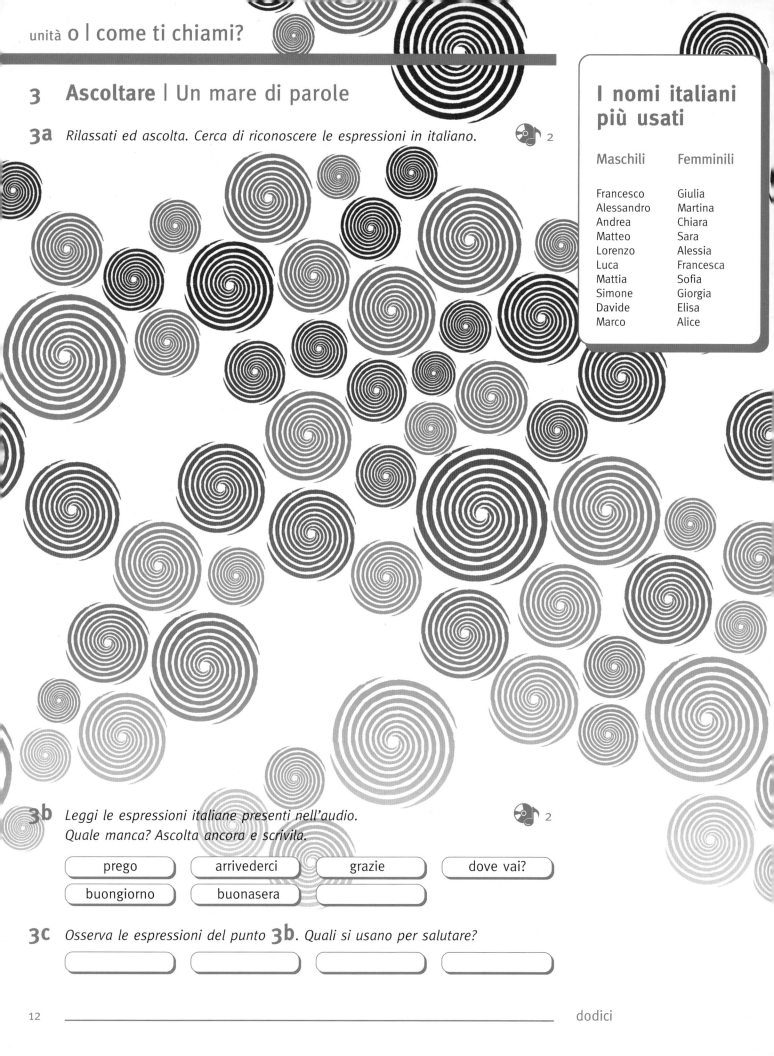 2

I nomi italiani più usati

Maschili	Femminili
Francesco	Giulia
Alessandro	Martina
Andrea	Chiara
Matteo	Sara
Lorenzo	Alessia
Luca	Francesca
Mattia	Sofia
Simone	Giorgia
Davide	Elisa
Marco	Alice

3b *Leggi le espressioni italiane presenti nell'audio. Quale manca? Ascolta ancora e scrivila.* 2

(prego) (arrivederci) (grazie) (dove vai?)

(buongiorno) (buonasera) ( )

3c *Osserva le espressioni del punto* **3b**. *Quali si usano per salutare?*

( ) ( ) ( ) ( )

I numeri da 1 a 30

1	uno
2	due
3	tre
4	quattro
5	cinque
6	sei
7	sette
8	otto
9	nove
10	dieci
11	undici
12	dodici
13	tredici
14	quattordici
15	quindici
16	sedici
17	diciassette
18	diciotto
19	diciannove
20	venti
21	ventuno
22	ventidue
23	ventitré
24	ventiquattro
25	venticinque
26	ventisei
27	ventisette
28	ventotto
29	ventinove
30	trenta

Come scusa?

3d *Inserisci accanto ai disegni giusti le espressioni per salutare che hai scritto al punto* **3c**.

← 1

2 →

buongiorno

← 3

4 →

buonasera

4 Gioco | I numeri da 1 a 20

4a *Forma un cerchio con i compagni. Contate da 1 a 20 con l'aiuto dell'insegnante.*

4b *Tutti gli studenti si alzano in piedi e camminano in silenzio nella classe. Chi vuole comincia a contare ad alta voce e dice "uno". Chi vuole dice "due" e così via fino a venti. Se due o più studenti dicono contemporaneamente un numero, si ricomincia.*

5 Gioco | Operazioni

✳ Studente A (Le istruzioni per lo **Studente B** sono a pag. 137)
Chiedi il risultato delle tue operazioni e controlla che la risposta sia corretta, seguendo l'esempio. Poi rispondi alle domande dello **Studente B**. Aiutati con la lista dei numeri da 1 a 30.

🖉 **Esempio**

Studente A Cinque più quattro?	Studente B Nove!	Studente A Sì.

le mie operazioni   (+ più)   (– meno)   (= uguale)

5+4=9	7−2=5	18+11=29	21+3=24	21−7=14
30−11=19	6+15=21	8+9=17	28−19=9	23+3=26

6 Gioco | Battaglia navale

6a *Ascolta l'alfabeto e ripeti insieme ai compagni.* 3

6b *Lavora con un compagno. Ripetete insieme l'alfabeto. Se avete difficoltà chiamate l'insegnante.*

6c ★ Studente A (Le istruzioni per lo **Studente B** sono a pag. 138)
Gioca a battaglia navale seguendo l'esempio. Cerca le parole nella tabella dello **Studente B**
e scegli una casella. Se la casella è vuota, lo **Studente B** risponde "Acqua!". Se invece è piena,
risponde "Colpito!", pronuncia il nome della lettera che occupa quella casella, e tu puoi scrivere
la lettera nella tabella di destra. Vince chi ricostruisce per primo le cinque parole dell'altro.

> ✎ **Esempio**
> Studente A D2.
> **Studente B** Colpito! R.
> **Studente B** C4.
> Studente A Acqua!

★ Tabella **Studente A**

	1	2	3	4	5	6	7	8	9	10
A										
B			C	A	S	A				
C										
D										
E										
F						F				
G						E				
H						S				
I						T				
L						A				
M			B							
N			U		A	M	O	R	E	
O			O							
P			N							
Q			G							
R			I							
S			O							
T			R							
U			N							
V			O							
Z						R	O	M	A	

★ Tabella **Studente B**

	1	2	3	4	5	6	7	8	9	10
A										
B						I				
C		A								
D		R								
E										
F										
G										
H										
I										
L										
M										
N										
O					E					
P										
Q	I									
R										
S										
T										
U										
V							A			
Z										

L'alfabeto italiano 3

A	a
B	bi
C	ci
D	di
E	e
F	effe
G	gi
H	acca
I	i
L	elle
M	emme
N	enne
O	o
P	pi
Q	cu
R	erre
S	esse
T	ti
U	u
V	vu
Z	zeta

altre lettere

J	i lunga
K	kappa
W	doppia vu
X	ics
Y	ipsilon

7 Parlare | Come ti chiami?

7a *L'insegnante ti consegnerà un foglietto con un nome.* [*]
È la tua nuova identità. Scrivi il tuo nuovo nome nello spazio "Mi chiamo"
e studia come dettarlo ad un'altra persona, lettera per lettera. Se necessario
riguarda l'alfabeto a pagina 14.

> Mi chiamo _____

7b *Alzati in piedi e gira per la classe con il libro aperto. Quando*
incontri un compagno guarda la lavagna. Se c'è disegnato
il sole è giorno, se c'è la luna è sera. Presentati secondo
il modello qui sotto utilizzando il saluto adeguato e scrivi
il nome del tuo compagno nello spazio "Come ti chiami?".
Quando avete finito cambia coppia, guarda la lavagna
e ricomincia. Continua fino allo stop dell'insegnante.

- ● Buongiorno/Buonasera.
- ■ Buongiorno/Buonasera.
- ● Come ti chiami?
- ■ Paolo.
- ● Paolo? Come si scrive?
- ■ Pi – A – O – Elle – O.
- ● Così?
- ■ Sì.
- ● Grazie. Io mi chiamo Antonio.
- ■ Antonio? Come si scrive?
- ● A – Enne – Ti – O – Enne – I – O.
- ■ Grazie, arrivederci.
- ● Arrivederci.

chiamarsi	
io	mi chiamo
tu	ti chiami
lui/lei	si chiama

Come si scrive?

Come ti chiami?

[*] Nota per l'insegnante: i nomi da consegnare sono a pag. 137.

7c *Ora trova nel puzzle i nomi che hai scritto e verifica.*
Poi controlla se trovi altri nomi italiani.

C	I	R	A	M	S	O	D	M	I	D
H	P	O	R	S	F	I	F	A	B	X
I	P	B	S	E	R	V	Q	U	I	L
A	L	E	S	S	A	N	D	R	O	W
R	O	R	T	T	N	A	R	O	B	O
A	N	T	R	E	C	H	I	M	R	A
N	V	A	L	F	E	E	T	T	A	I
N	E	T	M	A	S	S	I	M	O	M
E	L	I	S	N	C	A	R	L	O	B
C	I	A	G	I	O	V	A	N	N	A
E	L	I	S	A	B	E	T	T	A	J

Segna con una X le cose che hai studiato. Poi verifica con l'indice a pag. 11.
Attenzione: c'è una cosa in più. Il contenuto "intruso" della lista sarà
presentato nel modulo uno.

comunicazione

☐ Chiedere e dire il nome ▸ *Come ti chiami?* ▸ *Mi chiamo...*

☐ Le espressioni *Che significa?*, *Come si scrive?*, *Come scusa?*

☐ Le operazioni aritmetiche ▸ *più, meno, uguale*

☐ Chiedere l'età ▸ *Quanti anni hai?*

☐ Salutare ▸ *ciao, buongiorno, buonasera, arrivederci*

grammatica

☐ L'alfabeto

☐ I numeri da 1 a 30

☐ Il verbo *chiamarsi* (io, tu, lui / lei)

unità 1

di dove sei?

unità 2

mi dai il tuo numero?

unità 3

tutti in piazza!

comunicazione

Le espressioni *grazie, prego, scusa*

Chiedere e dire la provenienza
e la destinazione ▸ *Di dove sei, Dove vai?*
▸ *Sono di..., Vado a...*

Chiedere e dare il numero di telefono
▸ *Mi dai il tuo numero di telefono?*

Chiedere l'età ▸ *Quanti anni hai?*

Aprire una telefonata ▸ *Pronto?*

Concordare il luogo di un
appuntamento
▸ *Dove ci vediamo?*

L'espressione *Come si dice
in italiano...?*

grammatica

I verbi *andare* e *essere*
(io, tu, lui / lei)

Il verbo *avere* (io, tu, lui / lei)

I numeri da o a 100

I nomi

comunicazione

Le espressioni *grazie*, *prego*, *scusa*

Chiedere e dire la provenienza e la destinazione
▸ *Di dove sei*, *Dove vai*?
▸ *Sono di...*, *Vado a...*

grammatica

I verbi *andare* e *essere* (io, tu, lui / lei)

1   Introduzione

Guarda i messaggi a sinistra e collegali ai luoghi dove si trovano. Poi confronta le tue scelte con quelle di un compagno.

a.

b.

c.

d.

in aeroporto

in aereo

in stazione

in treno

Città italiane

Roma   2.600.000 abitanti
Milano   1.300.000 abitanti
Napoli   1.000.000 abitanti
Torino   900.000 abitanti
Palermo   700.000 abitanti

2 Ascoltare | Un annuncio

2a *Ascolta il messaggio. In quale luogo puoi sentirlo?*

(aeroporto)   (stazione)   (treno)   (aereo)

2b *Scrivi i nomi delle città al posto giusto nella cartina e ricostruisci il percorso del treno. Se necessario riascolta il messaggio.*

BOLOGNA   FIRENZE   MILANO   NA~~PO~~LI   ROMA

NAPOLI

3 Gioco | L'Italia

La classe si divide in due o più squadre. Ogni squadra ha 5 minuti di tempo per scrivere più nomi possibili sulla cartina del punto **2b** *(città, regioni, isole, ecc.) in base alle conoscenze di ogni studente. Vince la squadra che, allo scadere del tempo, ha scritto il maggior numero di nomi corretti al posto giusto.*

4 Ascoltare | Scusa, è libero questo posto?

4a *Abbina ogni parola ad un'immagine, come negli esempi. Poi confronta con un compagno.*

4b *Ascolta il dialogo e scegli quale serie di disegni esprime la situazione.* 🎧 5

a.

b.

c.

Scusa

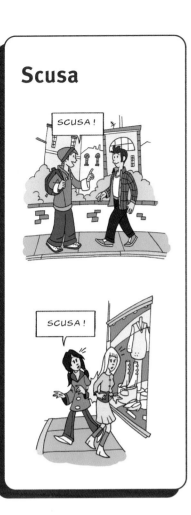

4C *Ascolta di nuovo il dialogo e scrivi nella tabella le informazioni che capisci.*

	Lui	Lei
Nome	Paolo	
Di dove è?	Napoli	/
Dove va?	Roma	
Professione	Insegnante	
Va alla manifestazione?	Sì ☒ No ☐	Sì ☐ No ☐
Nazionalità	Italiana	
Anni	Trenta	

5 Analisi grammaticale | Andare e essere

Completa il dialogo. Inserisci negli spazi _____ il verbo **essere** *e negli spazi _____ il verbo* **andare**. *Aiutati con la tabella.*
Poi confronta con un compagno.

Paolo Scusa! _____ libero questo posto?
Pilar Sì, prego.
Paolo Grazie. Dove _____ ?
Pilar Io?
Paolo Sì.
Pilar _____ a Roma.
Paolo Anch'io vado a Roma.
Pilar Ah.
Paolo Però non _____ di Roma.
Sono di Napoli.

	andare	essere
io	vado	sono
tu	vai	sei
lui/lei	va	è

6 Esercizio | Sono di Roma

Collega le frasi ai disegni.

sono di Roma

vado a Roma

7 Esercizio | Dove vai?

7a *Lavora con un compagno. Immaginate di essere in treno. Leggete il dialogo del punto* **5** *e esercitatevi a recitarlo.*

7b *Ora dovete recitare il dialogo davanti alla classe. Ma attenzione, i nomi delle città cambiano. Usate quelli che vi indica ogni volta l'insegnante. Vince la coppia che fa il dialogo migliore.*

Grazie, prego

Completa lo spazio riguardando quello che hai studiato. Poi confronta con l'indice a pag. 18.

comunicazione

Le espressioni *grazie*, *prego*, *scusa*

Chiedere e dire la provenienza e la destinazione ▸ *Di dove sei*, *Dove vai?*
▸ *Sono di...*, *Vado a...*

grammatica

I verbi *andare* e *essere* (_____ , tu, lui / lei)

comunicazione

Chiedere e dare il numero di telefono ▸ *Mi dai il tuo numero di telefono?*

Chiedere l'età ▸ *Quanti anni hai?*

grammatica

Il verbo *avere* (io, tu, lui / lei)

I numeri da 0 a 100

unità **2** | **mi dai il tuo numero?**

1 Ascoltare | Mi dai il tuo numero?

1a *Osserva le vignette. Quale rappresenta meglio i personaggi del dialogo dell'unità 1?*

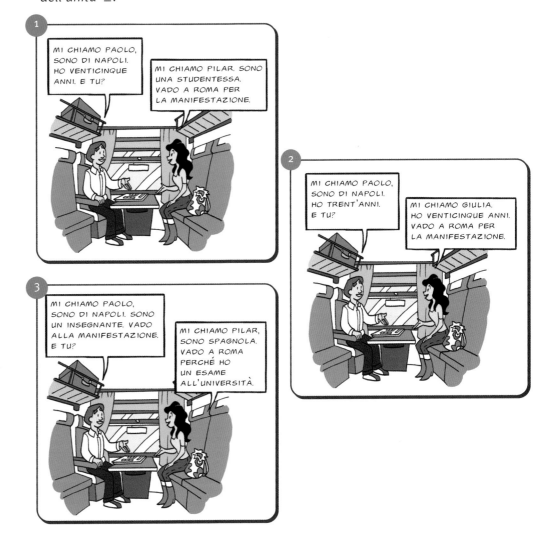

1b *Ascolta una parte più lunga del dialogo. Verifica il punto* **1a** *e poi* 🔊 6
rispondi alla nuova domanda qui sotto.

▸ **Secondo te, cosa risponde Pilar alla domanda di Paolo?**

Paolo Allora Pilar, mi dai il tuo numero?
Pilar Sì ☐ No ☐

1c *Ascolta l'ultima parte e verifica. Poi riguarda la tabella dell'unità* **1** 🔊 7
punto **4c** *a pagina 21. Sei ancora della stessa idea? Quali informazioni
sulla ragazza cambiano dopo questo ascolto? Parlane con un compagno.*

1d *Guarda il numero di telefono di Giulia. È uguale a quello che ha dato* 🔊 8
a Paolo? Ascolta il dialogo e verifica.

(3 3 8 5 6 2 3 4 9 7)   (   )

2   Esercizio | Dati anagrafici
*Completa la tua scheda. Poi gira per la classe: utilizza le domande
indicate e scrivi i dati dei tuoi compagni.*

	avere	essere
io	ho	sono
tu	hai	sei
lui / lei	ha	è

io

nome _____
città _____
anni _____

(come ti chiami?)
(di dove sei?)
(quanti anni hai?)

il mio compagno

nome _____
città _____
anni _____

il mio compagno

nome _____
città _____
anni _____

il mio compagno

nome _____
città _____
anni _____

3   Esercizio | I numeri da 0 a 100

3a *Completa la tabella con i numeri della lista.*

(cinquanta)   (novanta)   (ottanta)   (otto)   (quarantotto)

(quarantaquattro)   (quattordici)   (ventidue)   (ventinove)

0	zero	10	dieci	20	venti	30	trenta
1	uno	11	undici	21	ventuno	31	trentuno
2	due	12	dodici	22	_____	32	_____
3	tre	13	tredici	23	ventitré	33	trentatré
4	quattro	14	_____	24	_____	38	trentotto
5	cinque	15	quindici	25	venticinque	40	quaranta
6	sei	16	sedici	26	_____	41	_____
7	sette	17	diciassette	27	_____	42	quarantadue
8	_____	18	diciotto	28	ventotto	44	_____
9	nove	19	diciannove	29	_____	48	_____

50	_____
51	cinquantuno
55	_____
60	sessanta
68	_____
69	_____
70	settanta
80	_____
90	_____
100	cento

3b *Ora scrivi i numeri mancanti.*

3c *Ascolta i numeri di telefono e scrivili nella rubrica.*   9

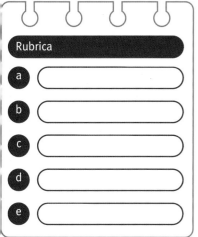

Rubrica
- a
- b
- c
- d
- e

4   Parlare | In treno

4a *Riprendi la tua scheda del punto **2** e aggiungi altri dati su di te, compreso il numero di telefono.*

4b *Ora sei in treno insieme ad altre tre persone. Parla di te e fai amicizia.*

---

unità 2 | mi dai il tuo numero?

Collega gli esempi a destra con i contenuti di comunicazione a sinistra.
Poi confronta con l'indice a pag. 23.

comunicazione

Chiedere e dare il numero di telefono

Chiedere l'età   ?

?   (Quanti anni hai?)

(Mi dai il tuo numero di telefono?)

comunicazione

Aprire una telefonata
▶ *Pronto?*

Concordare il luogo di un appuntamento ▶ *Dove ci vediamo?*

L'espressione *Come si dice in italiano...?*

grammatica

I nomi

1 Leggere | Il volantino

1a *Guarda il volantino. Due fotografie sono al posto sbagliato. Quali?*

CONTRO L'INQUINAMENTO! sabato 25 giugno
PER IL NOSTRO FUTURO! 8 appuntamenti in 7 città

Palermo

Una pizza contro l'inquinamento
ore 9.00 • Lungomare

Appuntamento al mare: pizza e vino per tutti con l'Associazione "Buongiorno natura".

Milano

sit in all'Università Bocconi
ore 14.30 • via Sarfatti 25

Gli studenti delle 7 università di Milano si incontrano per 7 lezioni sull'ecologia.

Genova

Partita di calcio
ore 21.00 • Stadio Ferraris

Partita di calcio con le star del cinema e della televisione.

Firenze

Giornata in piazza
ore 14.00 • Piazza Dallapiccola

Spettacoli, arte e musica per grandi e bambini: una giornata di appuntamenti contro l'inquinamento a cura della Casa dello Studente.

Roma

Manifestazione nazionale
ore 10.00 • Piazza della Repubblica

Per dire NO all'inquinamento! Da Piazza della Repubblica al Circo Massimo.

Roma

Notte di musica
ore 22.00 • Centro storico

Canzoni per il futuro: i gruppi di musica popolare cantano e suonano nelle strade e nelle piazze della città.

Venezia

100 gondole per un mondo pulito
ore 21.00 • Canal Grande

100 gondole per un mondo pulito nella città più bella del mondo: da Rialto a Piazza San Marco.

Napoli

Lezione di teatro
ore 19.30 • via Roma

Al teatro "Roma" lezioni di teatro gratis per tutti.

1b *Dove va Paolo? Se necessario riascolta il dialogo dell'unità **1**.* 5

> Paolo va a _____

1c *Alcune parole del volantino sono rappresentate nelle fotografie.*
Collegale alle immagini corrispondenti, come nell'esempio a sinistra.

1d *Lavora in squadra con alcuni compagni. Trovate il maggior numero possibile*
di parole rappresentate nelle fotografie. Vince la squadra che ne trova di più.

Roma

(Manifestazione) nazionale
ore 10.00 • Piazza della
Repubblica

Per dire NO all'inquinamento!
Da Piazza della Repubblica
al Circo Massimo.

2 Analisi grammaticale | I nomi

2a *Trova nel testo del volantino i singolari e i plurali dei nomi dello schema*
e scrivili nello spazio corrispondente.

nomi in -o / -a	maschile		femminile	
	singolare	plurale	singolare	plurale
	appuntamento	_____	piazza	_____

nomi in -e	maschile		femminile	
	singolare	plurale	singolare	plurale
	studente	_____	lezione	_____

2b *Scrivi i singolari e i plurali dei nomi dello schema. Se necessario cercali*
*nel testo del punto **1**.*

nomi in -o / -a	maschile		femminile	
	singolare	plurale	singolare	plurale
	_____	centri	_____	partite
	_____	vini	strada	_____
	_____	teatri	_____	case
	gruppo	_____	_____	giornate
	spettacolo	_____	_____	pizze
	bambino	_____	gondola	_____

nomi in -e	maschile		femminile	
	singolare	plurale	singolare	plurale
	_____	mari	_____	manifestazioni
	grande	_____	_____	televisioni
			_____	arti
			_____	notti
			canzone	_____

2c *Completa la regola dei nomi.*

- i nomi singolari in *-o* ➡ sono maschili ☐ femminili ☐ ➡ plurale in _____
- i nomi singolari in *-a* ➡ sono maschili ☐ femminili ☐ ➡ plurale in _____
- i nomi singolari in *-e* ➡ (maschili e femminili) ➡ plurale in _____

2d *Trova nel testo i singolari e i plurali delle parole* università *e* città. *Poi completa la regola dell'eccezione.*

> • i nomi in -à ➔ il singolare e il plurale sono ➔ uguali ☐ differenti ☐

3 Gioco | Singolare o plurale?

Formate due squadre. L'insegnante scrive alla lavagna una parola.
La squadra che pensa di sapere il corrispondente singolare o plurale si prenota.
Uno studente della squadra che si prenota per prima va alla lavagna e scrive
il singolare o il plurale corrispondente. Attenzione: le squadre possono
consultarsi, ma solo fino al momento della prenotazione.

Risposta esatta: + 1 punto.
Errore: -2 punti e l'altra squadra può provare a scrivere la soluzione.

4 Analisi della conversazione | Al telefono

4a *Inserisci al posto giusto le battute di Giulia.*

> (Ciao! Sono in treno.) (Non lo so.) (Ok, perfetto.) (Pronto?)

Giulia _____
Mauro Pronto? Pronto, Giulia mi senti? Sono Mauro.
Giulia _____
Mauro Ciao, senti: dove ci vediamo?
Giulia _____
Mauro Allora, la manifestazione parte da Piazza della Repubblica.
Per te va bene?
Giulia _____

4b *Guarda il dialogo del punto* **4a** *e scrivi come si risponde al telefono, in italiano e nella tua lingua madre.*

come si risponde al telefono?

	la persona che riceve la telefonata	la persona che chiama
in italiano ▸	_____	_____
nella mia lingua madre ▸	_____	_____

Città italiane

Venezia città turistica, costruita sull'acqua.

Milano centro dell'economia e degli affari.

Genova città di mare, con un importante porto commerciale.

Bologna città universitaria, sede dell'università più antica d'Europa.

Roma capitale d'Italia, ricca di monumenti e di storia. È il centro della religione cattolica.

...

Firenze città d'arte, importante nel Rinascimento.

Napoli la più importante città del sud Italia, ricca di arte e di cultura.

Palermo la più importante città della Sicilia.

5 Gioco | Sì o no?

La classe si divide in due squadre. Ogni studente sceglie una coppia di cose da dire (dove sta e dove è l'appuntamento), poi a turno uno studente per squadra fa il dialogo dell'esempio al telefono con l'insegnante. Le squadre devono capire perché l'insegnante a volte risponde sì e altre volte risponde no. Gli studenti possono scrivere le risposte dell'insegnante e consultarsi in qualsiasi momento per cercare di capire il criterio secondo cui l'insegnante risponde sì o no. La soluzione per l'insegnante è a pag. 144.

> ✐ **Esempio**
>
> Studente   Pronto.
>
> Insegnante   Pronto ciao _____, sono _____.
>
> Studente   Ciao _____, sono in aeroporto.
>
> Insegnante   Dove ci vediamo?
>
> Studente   A Piazza di Spagna. Va bene?
>
> Insegnante   No, mi dispiace. / Sì.
>
> nome studente   nome insegnante

Dove sono?	Dove è l'appuntamento?
in aeroporto	a Piazza di Spagna
alla stazione	al Teatro Nazionale
in treno	al Duomo
in aereo	a Via Regina Elena
a casa	a Corso Vittorio Emanuele
in ufficio	alla Fontana Maggiore

Come si dice in italiano?

6 Scrivere | Il volantino

Lavora con uno o più compagni. Scrivete un volantino per un evento in città. Può essere un concerto, uno spettacolo, una manifestazione o quello che preferite.

unità 3 | tutti in piazza!

Cosa hai studiato di grammatica in questa unità? Scegli uno dei contenuti della lista. Poi confronta con l'indice di pag. 26. Attenzione: gli altri contenuti saranno presentati nel modulo due.

(I verbi *andare, essere* e *avere* (noi, voi, loro))   (I nomi)   (Gli articoli)

grammatica

ROMA, 2050. DOPO LA GRANDE DISTRUZIONE, LA CITTÀ È CONTROLLATA DAI SOLDATI ROMANI.

IL COLOSSEO

ALT! DOVE VAI?

EHI! SONO UN AMICO... TRANQUILLO.

PAROLA D'ORDINE.

MI CHIAMO BRUNO.

ROMA CAPUT MUNDI*

*IN LATINO SIGNIFICA: "ROMA CENTRO DEL MONDO".

GIUSTO.

VADO?

UN MOMENTO! E LUI?

LUI SI CHIAMA FIDUS. È IL MIO CANE.

VA BENE, VAI.

GRAZIE.

VENEZIA, 2050. TUTTA LA CITTÀ È SOTTO L'ACQUA.

PIAZZA SAN MARCO. LA CITTÀ È CONTROLLATA DAI CROCIATI VENEZIANI.

ALT! DOVE VAI?

MI CHIAMO ANNA. SONO UN'ARCHEOLOGA.

OK, VAI.

MA DENTRO LA BASILICA DI SAN MARCO...

ANNA!

HO UN MESSAGGIO PER TE.

Vai a Roma. Buona fortuna!

EHI, TU! CHE COSA HAI IN MANO?

FERMA!

CONTINUA...

1 I suoni [k] e [tʃ]

PAGINA DELLA FONETICA

1a *Ascolta le parole. Che suono senti? Segui gli esempi.* **DVD** 10

	[k]	[tʃ]		[k]	[tʃ]		[k]	[tʃ]
cinema	☐	☒	amico	☒	☐	Luca	☐	☐
ciao	☐	☐	cento	☐	☐	cinque	☐	☐
perché	☐	☐	chiave	☐	☐	cioccolata	☐	☐
Luciana	☐	☐	cuore	☐	☐	chiamo	☐	☐
piacere	☐	☐	come	☐	☐	casa	☐	☐
Lucio	☐	☐						

1b *Metti i simboli [k] e [tʃ] al posto giusto e completa la tabella, come nell'esempio.*

			[k]					
ciao	cento	amico	perché	chiave	cioccolata	Luca	cinema	cuore
Luciana	piacere	come		chiamo	Lucio	casa	cinque	

1c *Completa la regola, come negli esempi.*

[k] = _c_a   ___he   ___i   ___o   ___u   [tʃ] = _ci_a   ___e   ___i   ___o

1d *Ascolta e segna quale suono senti per ogni parola.* **DVD** 11

	1.	2.	3.	4.	5.	6.	7.	8.	9.	10.	11.	12.
[k]	☐	☐	☐	☐	☐	☐	☐	☐	☐	☐	☐	☐
[tʃ]	☐	☐	☐	☐	☐	☐	☐	☐	☐	☐	☐	☐

2 I suoni [g] e [dʒ]

2a *Ascolta le prime due parole, poi prova a indicare il suono per le altre parole.* **DVD** 12
Infine confrontati con un compagno.

	[g]	[dʒ]		[g]	[dʒ]		[g]	[dʒ]
Gianni	☐	☒	ragazza	☒	☐	gas	☐	☐
gioco	☐	☐	buongiorno	☐	☐	Gorizia	☐	☐
spaghetti	☐	☐	Germania	☐	☐	gelato	☐	☐
lago	☐	☐	Giulia	☐	☐	Inghilterra	☐	☐
pagina	☐	☐	gusto	☐	☐			

2b *Ascolta e verifica.* **DVD** 13

2c *Completa la regola, come negli esempi.*

[g] = _g_a   ___e   ___i   ___o   ___u   [dʒ] = _gi_a   ___e   ___i   ___o   ___u

2d *Ascolta e completa le parole.* **DVD** 14

1. ra_____zzo   2. Lui_____   3. _____rnale   4. _____pardo   5. _____cca

6. la_____   7. ma_____   8. la_____na   9. _____nova   10. _____sto

2e *Cerca nel volantino di pag. 26 tutte le parole con i suoni* [k], [tʃ], [g], [dʒ].

modulo due | arti

unità 4   una notte a Roma

unità 5   che ore sono?

unità 6   di che colore è?

comunicazione

Prenotare una camera ▸ *Avete posto…?*

Chiedere e dire il prezzo ▸ *Qual è il prezzo?* ▸ *Costa…*

Dire la nazionalità ▸ *È un pittore tedesco, Noi siamo italiani*

Protestare / Imprecare ▸ *Porca…, Ma che sei scemo?*

Chiedere e dire l'ora ▸ *Che ore sono?, Che ora è?* ▸ *Sono le…, È…*

Collocare qualcosa nel tempo ▸ *A che ora?* ▸ *Alle dieci, Dalle dieci alle undici*

I saluti della giornata ▸ *buongiorno, buonasera, buonanotte*

Fare una richiesta ▸ *Vorrei*

Descrivere un albergo ▸ *Le camere sono pulite*

I colori ▸ *Di che colore è?*

grammatica

I numeri da 100 a 1000

I verbi *essere*, *avere* e *andare* (noi, voi, loro)

I verbi regolari in *-are*, *-ere* e *-ire*

Gli aggettivi di nazionalità

Gli aggettivi in *-o / -a*, *-e*

Gli interrogativi *Come…?, Quale…?, Che…?*

Gli articoli determinativi e indeterminativi

Le congiunzioni *e*, *o*, *ma*

La frase dichiarativa, interrogativa ed esclamativa

unità **4** **una notte a Roma**

comunicazione

Prenotare una camera
▸ *Avete posto...?*

Chiedere e dire il prezzo
▸ *Qual è il prezzo?* ▸ *Costa...*

Dire la nazionalità
▸ *È un pittore tedesco,
Noi siamo italiani*

grammatica

I numeri da 100 a 1000

I verbi *essere*, *avere* e *andare*
(noi, voi, loro)

I verbi regolari in *-are*, *-ere*
e *-ire*

Gli aggettivi di nazionalità

Gli aggettivi in *-o / -a*, *-e*

1   Introduzione

1a *Vuoi passare una notte a Roma. Dove vai a dormire?
Guarda le foto e scegli una soluzione.*

albergo ★★★★

pensione ★★

convento

campeggio

bed & breakfast

1b *Gira per la classe e trova un compagno che va nello stesso posto.*

Albergo o pensione?

Chi viene in vacanza in Italia può scegliere tra diverse possibilità di alloggio:

● il classico albergo (hotel);

● la pensione, un piccolo albergo di solito a gestione familiare;

● il bed & breakfast, un posto dove dormire e fare colazione (ma attenzione: in realtà in molti bed & breakfast la colazione non è disponibile);

● il campeggio, per i più giovani e gli appassionati che amano dormire in tenda;

● l'agriturismo, un posto in campagna, dove è possibile assaggiare i prodotti locali;

● il convento (o monastero), che offre la possibilità di alloggiare all'interno di strutture religiose, spesso molto antiche.

I numeri da 100 a 1000

- 101   centouno
- 105   centocinque
- 110   centodieci
- 113   centotredici
- 150   centocinquanta
- 190   centonovanta
- 200   duecento
- 300   trecento
- 500   cinquecento
- 1000   mille

2   Leggere | Singola, doppia, matrimoniale

2a   *Leggi e completa le due mail con uno dei luoghi del punto 1.*

> **A:** reception123@yahoo.it
>
> **Oggetto:** informazioni
>
> Salve,
> leggo sul vostro sito che è possibile affittare le camere all'interno del _____
> e vorrei alcune informazioni. Avete posto per due persone, solo per una notte? Noi arriviamo
> al _____ il pomeriggio del 13 marzo verso le cinque e mezza e partiamo la mattina
> del 14. Spero di sì, perché tutti gli alberghi sono pieni per la manifestazione.
> Ancora due informazioni: qual è il prezzo? Come facciamo ad arrivare al _____
> dalla stazione? Quale autobus dobbiamo prendere?
> Grazie
> Giulia Pallanti
> via Toledo 15 | 80132 Napoli

> **A:** giuliapallanti@gmail.com
>
> **Oggetto:** Re: informazioni
>
> Gentile Giulia,
> per la notte del 13 abbiamo ancora delle camere. Nella Sua mail scrive che siete due persone,
> ma non capisco bene: volete due camere singole, una camera doppia o una matrimoniale?
> La singola costa 55 euro, la doppia e la matrimoniale costano 85 euro. Per il bagno in camera
> c'è un supplemento di 20 euro. La colazione non è compresa nel prezzo, il supplemento
> è di 8 euro a persona (ma c'è anche un bar di fronte al _____).
> Arrivare dalla stazione è molto facile. Potete prendere il 56 e scendere dopo 5 fermate.
> L'autobus parte ogni quindici minuti dalla stazione Termini.
> Aspetto al più presto una risposta. Abbiamo poche camere ancora libere.
> Il 14 a Roma c'è una grande cerimonia religiosa con il Papa e qui al _____ arrivano
> religiosi da tutto il mondo.
> Cordiali saluti,
> Suor Caterina

	essere	avere	andare
noi	siamo	abbiamo	andiamo
voi	siete	avete	andate
loro	sono	hanno	vanno

2b   *Rileggi la mail di Suor Caterina e scrivi sotto i disegni il prezzo di ogni camera.*

3 Analisi grammaticale | I verbi regolari
in -are, -ere, -ire

3a *Rileggi le due mail e* <u>sottolinea</u> *le forme dei verbi* **arrivare**, **scrivere**
e **partire**. *Poi scrivile al posto giusto nella tabella qui sotto e confrontati
con un compagno.*

	arriv**are**	scriv**ere**	part**ire**
io			
tu			
lui / lei			
noi			
voi			
loro			

3b *Gioco a coppie. Le istruzioni per lo* Studente A *sono a pag. 137, quelle per
lo* Studente B *sono a pag. 139.*

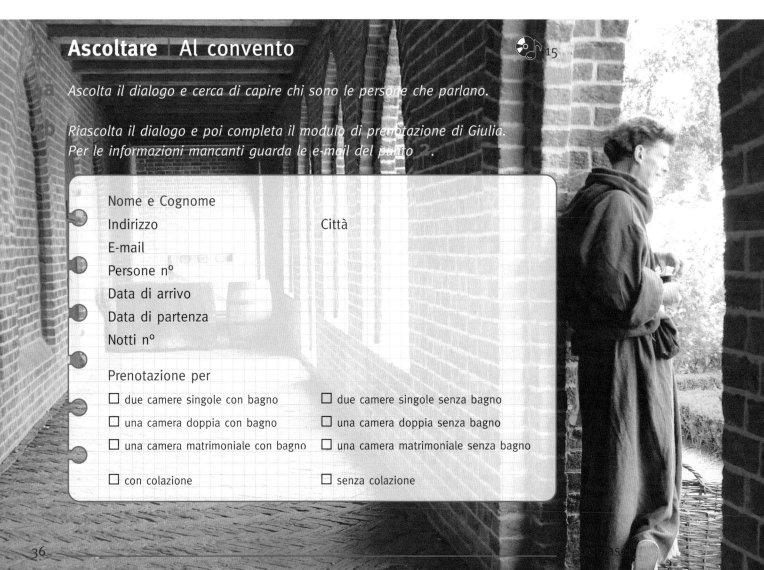

Ascoltare | Al convento 🎧 15

Ascolta il dialogo e cerca di capire chi sono le persone che parlano.

*Riascolta il dialogo e poi completa il modulo di prenotazione di Giulia.
Per le informazioni mancanti guarda le e-mail del punto 2.*

Nome e Cognome

Indirizzo   Città

E-mail

Persone n°

Data di arrivo

Data di partenza

Notti n°

Prenotazione per

☐ due camere singole con bagno   ☐ due camere singole senza bagno

☐ una camera doppia con bagno   ☐ una camera doppia senza bagno

☐ una camera matrimoniale con bagno   ☐ una camera matrimoniale senza bagno

☐ con colazione   ☐ senza colazione

4C *Riascolta il dialogo e completa il disegno con le parole e i numeri della lista.*

(americano) (francese) (messicano) (tedesca) (spagnoli)

(3) (7) (10)

5 Analisi lessicale | Chiedere informazioni

Ricostruisci le domande e poi collegale alla risposta giusta, come nell'esempio. Attenzione: una domanda non ha risposta. Scrivila tu.

6   **Gioco** | Un mondo di pittori

Scrivi le nazionalità dei pittori e collega i quadri alle nazioni, dove è necessario.

Vincent Van Gogh
pittore olandese

Henri Matisse
pittore _____

Andy Warhol
pittore americano / statunitense

Frida Kahlo
pittrice _____

Giulia
Senta, ma c'è molta gente nel convento in questo periodo?
Suora
Sì, una coppia tedesca che viene ogni anno da Berlino, due ragazzi spagnoli, un ragazzo francese...
Mauro
Tutti stranieri?
Suora
Beh, la maggior parte sì... e un prete messicano, un americano...

Italia

Svizzera

Francia

Leonardo da Vinci
pittore _____

Russia

Polonia

Austria

Germania

Stati Uniti

Spagna

Olanda

Messico

Albrecht Dürer
pittore _____

Vassilij Kandinsky
pittore russo

Egon Schiele
pittore austriaco

Pablo Picasso
pittore _____

Paul Klee
pittore svizzero

Tamara de Lempicka
pittrice polacca

7 Analisi grammaticale | Gli aggettivi

Completa le tabelle degli aggettivi. Nell'ultima riga della prima o della seconda tabella aggiungi il tuo Paese.

aggettivi in -o / -a

	maschile		femminile	
	singolare	plurale	singolare	plurale
Italia	italiano	_____	_____	italiane
Spagna	_____	spagnoli	_____	spagnole
Argentina	_____	_____	argentina	_____
	_____	_____	_____	_____

aggettivi in -e

	maschile		femminile	
	singolare	plurale	singolare	plurale
Francia	_____	francesi	_____	francesi
Cina	_____	cinesi	cinese	_____
Canada	canadese	_____	_____	_____
	_____	_____	_____	_____

8 Esercizio | Nazionalità

Lavora in coppia con un compagno. Ognuno di voi sceglie un elemento all'interno di ogni lista (A e B) senza comunicarlo al compagno. Poi dividetevi i ruoli e recitate il dialogo cambiando le parti in verde e in rosso, come nell'esempio. Ripetete il dialogo cambiando ogni volta gli elementi e i ruoli.

Suora	Buonasera.
Giulia	Buonasera.
Suora	Ah, voi siete i due ragazzi brasiliani vero?
Giulia	Sì, esatto. / No, siamo italiani.
	Questa è la mail di prenotazione.
Suora	Ah, sì mi ricordo. È una matrimoniale con bagno, vero?
Giulia	Sì, esatto. Costa 105 euro, vero? / No, sono due singole con bagno. Costano 190 euro, vero?
Suora	Sì.

A la nazione dei due ragazzi

1 Italia
2 Francia
3 Brasile
4 Spagna
5 Germania
6 Olanda

B i due ragazzi vogliono

1 una doppia con bagno, 105 euro
2 una matrimoniale con bagno, 105 euro
3 due singole con bagno, 190 euro
4 una doppia senza bagno, 85 euro
5 una matrimoniale senza bagno, 85 euro
6 due singole senza bagno, 150 euro

---

unità 4 | una notte a Roma

Cosa hai studiato in questa unità? Scegli un contenuto per comunicazione e uno per grammatica, poi confronta con l'indice a pag. 34.

comunicazione

☐ I colori
☐ Dire la nazionalità

grammatica

☐ I verbi regolari in -are, -ere e -ire
☐ I verbi in -isco

comunicazione

Protestare / Imprecare
▸ *Porca..., Ma che sei scemo?*

Chiedere e dire l'ora
▸ *Che ore sono?, Che ora è?*
▸ *Sono le..., È...*

Collocare qualcosa nel tempo
▸ *A che ora?*
▸ *Alle dieci, Dalle dieci alle undici*

I saluti della giornata
▸ *buongiorno, buonasera, buonanotte*

Fare una richiesta ▸ *Vorrei...*

grammatica

Gli interrogativi *Come...?, Quale...?, Che...?*

Gli articoli determinativi e indeterminativi

Le congiunzioni *e, o, ma*

Imprecazioni e insulti

- L'imprecazione Porca... può essere seguita dalle parole miseria, vacca o da altre più volgari e indica rabbia, disappunto.

- Le espressioni scemo, cretino, idiota, stupido si usano in modo offensivo contro qualcuno.

1 Ascoltare | Aprite!

1a *Ascolta l'inizio del dialogo e fai delle ipotesi (cosa succede, dove siamo, chi sono i personaggi...). Poi confrontati con un compagno.* 16

1b *Ora ascolta tutto il dialogo e scegli le risposte giuste.* 17

1. Che ore sono?

☐   ☐   ☐   ☐   ☐

2. Come si chiama il barbiere?

☐ Figaro
☐ Bacco
☐ Isacco
☐ Mauro
☐ Non dice il nome

3. Perché i tre sono a Roma?

☐ I due ragazzi per la manifestazione, il barbiere per turismo
☐ I due ragazzi per turismo, il barbiere per la manifestazione
☐ I due ragazzi per la manifestazione e per turismo, il barbiere per partecipare a una fiera
☐ Tutti e tre per turismo
☐ Tutti e tre per la manifestazione

2 Gioco | Chi, cosa, quando

 17

Dividetevi in squadre e mettete in ordine cronologico le azioni del dialogo.
Per ogni azione, scrivete anche chi la compie, come nell'esempio. Se necessario,
potete riascoltare il dialogo. Quando la vostra squadra ha finito, chiamate
l'insegnante. Se la sequenza è giusta, avete vinto, altrimenti il gioco continua.

chi: (Giulia)   (Mauro)   (Suor Caterina)   (Barbiere)   (Abitante del palazzo)

n°	azione	chi
	▸ Arriva e apre il portone	▸
	▸ Arrivano e chiedono cosa succede	▸
I	▸ Chiama suor Caterina e chiede di aprire il portone	▸ Barbiere
	▸ Dice che lavoro fa	▸
	▸ Dice che vuole dormire	▸
	▸ Legge gli orari sul portone	▸
	▸ Non ascolta le proteste e continua a chiamare suor Caterina	▸
	▸ Parla di Caravaggio	▸
	▸ Prova anche lui a chiamare suor Caterina	▸
	▸ Risponde che sta arrivando	▸
	▸ Si presentano	▸
	▸ Tira un secchio d'acqua	▸

Come...?
Quale...?
Che... ?
- ● Come si chiama il barbiere?
- ■ Non dice il nome.
- ● Quale autobus dobbiamo prendere?
- ■ Il 56.
- ● Che ore sono?
- ■ È mezzanotte.

3 Esercizio | Che ore sono? / Che ora è?

3a *Collega le frasi che indicano la stessa ora, poi collegale all'orologio giusto,*
come nell'esempio.

Buongiorno, buonasera, buonanotte

Il giorno è diviso in mattina, pomeriggio, sera e notte.

Come salutiamo?

Dalla mattina presto fino alle 13.00 usiamo Buongiorno.

Il pomeriggio (dalle 13.00 alle 18.00) e la sera salutiamo con Buonasera.

Solo quando andiamo a dormire diciamo Buonanotte.

3b *Disegna le lancette corrispondenti alle ore.*

Sono le sette

Sono le dieci e venti

Sono le dieci meno cinque
Sono le nove e cinquantacinque

Sono le dodici
È mezzogiorno

Sono le sette meno venti
Sono le sei e quaranta

Sono le tre e cinque

Sono le otto e un quarto
Sono le otto e quindici

Sono le tredici
È l'una

Sono le otto meno un quarto
Sono le sette e quarantacinque

4 Gioco | L'orologio umano

Formate due squadre. A turno due studenti per squadra vanno dall'insegnante e ricevono un bigliettino in cui è indicata un'ora. I due studenti dovranno trasformarsi in "orologio umano" e, uno davanti e l'altro dietro, usando le braccia cercheranno di riprodurre l'ora indicata nel biglietto, come negli esempi. Il dito indica la lancetta delle ore e la mano aperta la lancetta dei minuti. La squadra avrà 40 secondi di tempo per indovinare l'ora rappresentata dai due compagni. Ogni ora indovinata vale un punto. Vince la squadra che al termine del gioco realizza più punti.

Le tre meno cinque

Le nove e venticinque

5 Analisi grammaticale | Gli articoli

5a *Dividetevi in squadre di tre studenti. <u>Sottolineate</u> nelle due mail tutti gli articoli, determinativi e indeterminativi, come negli esempi. Indicate il numero esatto di articoli per ogni mail e il numero totale. Quando la vostra squadra ha finito, chiamate l'insegnante. Se il numero è giusto, avete vinto, altrimenti il gioco continua.*

A: reception123@yahoo.it

Oggetto: informazioni

Salve,
leggo sul vostro sito che è possibile affittare <u>le</u> camere all'interno del convento
e vorrei alcune informazioni. Avete posto per due persone, solo per <u>una</u> notte? Noi arriviamo
al convento il pomeriggio del 13 marzo verso le cinque e mezza e partiamo la mattina del 14.
Spero di sì, perché tutti gli alberghi sono pieni per la manifestazione.
Ancora due informazioni: qual è il prezzo? Come facciamo ad arrivare al convento dalla stazione?
Quale autobus dobbiamo prendere?
Grazie
Giulia Pallanti
via Toledo 15 | 80132 Napoli

n° articoli _____

A: giuliapallanti@gmail.com

Oggetto: Re: informazioni

Gentile Giulia,
per la notte del 13 abbiamo ancora delle camere. Nella Sua mail scrive che siete due persone,
ma non capisco bene: volete due camere singole, una camera doppia o una matrimoniale?
La singola costa 55 euro, la doppia e la matrimoniale costano 85 euro. Per il bagno in camera
c'è un supplemento di 20 euro. La colazione non è compresa nel prezzo, il supplemento
è di 8 euro a persona (ma c'è anche un bar di fronte al convento).
Arrivare dalla stazione è molto facile. Potete prendere il 56 e scendere dopo 5 fermate.
L'autobus parte ogni quindici minuti dalla stazione Termini.
Aspetto al più presto una risposta. Abbiamo poche camere ancora libere. Il 14 a Roma c'è una
grande cerimonia religiosa con il Papa e qui al convento arrivano religiosi da tutto il mondo.
Cordiali saluti,
Suor Caterina

n° articoli _____

n° totale articoli _____

5b *Riguarda le mail e completa la tabella con gli articoli mancanti.*

articoli determinativi e indeterminativi

maschile		femminile	
singolare	plurale	singolare	plurale
lo		l'	
_____	i	_____	
_____	_____	_____	
uno		un'	

A CHE ORA APRE IL MUSEO?

Le congiunzioni *e, o, ma*

e si usa per unire due elementi di una frase (o anche due frasi):

▶ *La doppia e la matrimoniale costano 85 euro.*

o si usa per unire due elementi che si escludono tra di loro:

▶ *Volete una camera doppia o una matrimoniale?*

ma si usa per dire una cosa in opposizione a un'altra detta prima:

▶ *La singola costa 55 euro ma per il bagno in camera c'è un supplemento di 20 euro.*

6 Gioco | A che ora?

✳ Studente A (Le istruzioni per lo Studente B sono a pag. 140)

Fai la domanda, ascolta la risposta dello Studente B e verifica nella seconda colonna se è corretta (Esempio 1). Poi ascolta la domanda dello Studente B e verifica nella prima colonna se è corretta. Infine rispondi guardando l'orario nella seconda colonna (Esempio 2). Per ogni frase corretta si guadagna un punto. Vince lo studente che alla fine ha totalizzato più punti.

🖉 Esempio 1

Studente A domanda

aprire / il museo

▶ *A che ora apre il museo?*

Studente B risposta

▶ Alle nove e un quarto. / Alle nove e quindici.

🖉 Esempio 2

Studente B domanda

▶ A che ora vai in palestra?

Studente A risposta

7.30 – 9.00

▶ *Dalle sette e mezza alle nove. / Dalle sette e trenta alle nove.*

---

domanda		risposta
1 (*aprire / il museo*	▶	*Alle nove e un quarto.* *Alle nove e quindici.*
2 (*A che ora vai in palestra?*	▶	*7.30 – 9.00*
3 (essere / i corsi di italiano	▶	Dalle nove alle due e trentacinque. Dalle nove alle quattordici e trentacinque.
4 (A che ora comincia la cena?	▶	19.00
5 (arrivare in ufficio / Marta e Maria	▶	Alle otto e mezza. Alle otto e trenta.
6 (A che ora parte l'autobus per Roma?	▶	7.42
7 (essere / la cena	▶	Dalle sette alle dieci. Dalle diciannove alle ventidue.
8 (A che ora sono le lezioni?	▶	19.10 – 21.25
9 (partire / tu e Franco	▶	Alle nove meno dieci. Alle otto e cinquanta.
10 (A che ora arrivano i bambini?	▶	8.45
11 (andare in piscina / tu	▶	Dalle cinque alle sei. Dalle diciassette alle diciotto.
12 (A che ora è il pranzo?	▶	11.35 – 14.00

ALLE NOVE E UN QUARTO.

7 Esercizio | Le città di Caravaggio

7a *Ascolta questa parte del dialogo e indica sulla cartina, nell'ordine in cui le visitano Giulia e Mauro, le città caravaggesche.*

7b *Questi tre quadri sono nominati nel dialogo. Dove si trovano? Riascolta il dialogo e collega i quadri alle città.*

Bacco

Cena in Emmaus

Sacrificio di Isacco

8 Parlare | Telefonata al museo

Lavora con un compagno e dividetevi i ruoli.

Turista
Sei un turista. Vuoi vedere la mostra di Caravaggio alla Galleria degli Uffizi.
Devi telefonare al museo per avere tutte le informazioni e prenotare due biglietti.
Lavora insieme a tutti i turisti e preparate le domande da fare al telefono.
Quando sei pronto, mettiti seduto di spalle con un operatore e telefona al museo.

Operatore Museo degli Uffizi
Lavori al servizio informazioni della Galleria degli Uffizi. Devi dare tutte le informazioni ai turisti che telefonano.
Lavora insieme agli altri operatori del servizio informazioni e pensate alle informazioni che dovete dare.
Aiutatevi con il riquadro a pag. 140. Quando sei pronto, mettiti seduto di spalle con un turista e rispondi alla sua telefonata.

Vorrei
La parola vorrei si usa per chiedere qualcosa in modo cortese.
▸ *Vorrei alcune informazioni.*

---

unità 5 | che ore sono?

Completa gli spazi riguardando quello che hai studiato. Poi confronta con l'indice a pag. 41.

comunicazione

Protestare / Imprecare ▸ *Porca..., Ma che sei scemo?*

Chiedere e dire l'ora ▸ *Che ore sono?, Che ora è?* ▸ *Sono le..., È...*

Collocare qualcosa nel tempo ▸ *A che ora?* ▸ *Alle dieci, Dalle dieci alle undici*

I saluti della giornata ▸ _____, _____, *buonanotte*

Fare una richiesta ▸ *Vorrei...*

grammatica

Gli interrogativi *Come...?, Quale...?, Che...?*

Gli _____ determinativi e indeterminativi

Le congiunzioni *e, o, ma*

BRAVO!

CARAVAGGIO (MICHELANGELO MERISI) NASCE NEL 1571, VICINO MILANO. DA BAMBINO DIMOSTRA UN GRANDE TALENTO PER LA PITTURA.

NEL 1595 È A ROMA. QUI DIPINGE MOLTE OPERE RELIGIOSE E DIVENTA UN ARTISTA FAMOSO. MA FORSE LA SUA ARTE È TROPPO "SENSUALE" E POCO ADATTA ALLA RAPPRESENTAZIONE SACRA.

È SCANDALOSO!

È UN GRANDE ARTISTA!

L'ARTE DI CARAVAGGIO È RIVOLUZIONARIA PER IL SUO TEMPO. LA SUA TECNICA (DETTA "CHIAROSCURO") EVIDENZIA I CONTRASTI DI LUCE.

CARAVAGGIO HA UN CARATTERE PASSIONALE E VIOLENTO.

IDIOTA!

È MORTO!

NEL 1606 UCCIDE UN UOMO IN UN DUELLO. RICERCATO DALLA POLIZIA, DEVE FUGGIRE.

NELLA SUA FUGA, CARAVAGGIO TOCCA MOLTE CITTÀ: GENOVA, NAPOLI, MESSINA, CATANIA. NEL 1608 ARRIVA A MALTA. MA VIENE CACCIATO (QUALCUNO DICE PER LA SUA PRESUNTA OMOSESSUALITÀ).

18 LUGLIO 1610. SOLO E MALATO, CARAVAGGIO MUORE A 39 ANNI, SULLA SPIAGGIA DI PORTO ERCOLE, IN TOSCANA.

comunicazione
Descrivere un albergo
► *Le camere sono pulite*
I colori ► *Di che colore è?*

grammatica
La frase dichiarativa, interrogativa ed esclamativa

1 Leggere | Dove dormiamo?

Consigli per chi viaggia

1a *Completa con le parole della lista i consigli del sito Tripadvisor su Firenze.*

Fiorenza Bed & Breakfast ***
Mia moglie ed io abbiamo provato la piacevole sensazione di sentirci come a casa per la calorosa accoglienza di Elena, la titolare del B&B. I letti sono _____ e nuovi. La colazione è buona e _____, con torte deliziose, sempre diverse e calde ogni mattina. Il posto è pulito, tranquillo e silenzioso. Sicuramente un ottimo soggiorno che consigliamo a tutti.

(abbondante)
(comodi)

Hotel David ***
All'Hotel David c'è un ambiente molto accogliente. L'albergo è moderno, con aria _____ e connessione internet gratuita. Il personale è gentile: professionale ma amichevole. Le camere sono pulite e _____. L'albergo ha un parcheggio privato e _____.

(condizionata)
(gratuito)
(silenziose)

Campeggio Campo All'oca **
Ambiente naturale e atmosfera _____. Consiglio il Camping Campo All'oca a tutti quelli che cercano il contatto _____ con la natura. Il campeggio offre un meraviglioso panorama del Parco _____ delle Foreste Casentinesi. È lontano dal centro storico ma è molto facile andare a Firenze con l'autobus.

(diretto)
(nazionale)
(rilassante)

Pensione Mastropeppe *
La pensione Mastropeppe si trova nel cuore del centro _____ di Firenze, a pochi metri dalla splendida Piazza della Signoria e dalla Galleria degli Uffizi. L'ambiente è _____, adatto ad un soggiorno di studio, di lavoro o di vacanza.

(familiare)
(storico)

Convento di San Domenico
Dormire al Convento di San Domenico è un'esperienza unica. La bellissima chiesa del '700 conserva molte opere _____, come i dipinti di Lorenzo di Credi e del Beato Angelico. Il convento è aperto a uomini e donne ed è anche possibile (solo per gli uomini) partecipare alla vita della comunità _____.

(monastica)
(rinascimentali)

1b *Ricordi? Anche Mauro e Giulia vanno a Firenze. Secondo te, in quale dei posti del punto 1a vanno a dormire? Se necessario, riascolta il dialogo.* 17

1c *E tu? Scegli un posto dove andare.*

2 Analisi lessicale | Aggettivi qualificativi

In ogni frase c'è un aggettivo usato in modo inappropriato. Trovalo e scambialo con l'aggettivo inappropriato della frase a fianco, come nell'esempio.

L'ambiente è accogliente / gratuito / caloroso / familiare.

Le camere sono buone / tranquille / pulite / accoglienti.

Il posto è pulito / gentile / silenzioso / tranquillo.

La colazione è deliziosa / accogliente / buona / calda.

Il parcheggio è comodo / naturale / privato.

Le torte sono calde / deliziose / silenziose.

Il personale è moderno / amichevole / professionale.

L'albergo è moderno / familiare / abbondante.

3 Analisi della conversazione | Aprite!

3a *Ascolta molte volte il brano audio e inserisci i segni di punteggiatura negli spazi. Poi confronta con un compagno. Se necessario ascolta ancora.* 19

? ! .

Mauro È successo qualcosa ____
Barbiere Eh… sì, eh… è successo che m'hanno tirato un secchio d'acqua!
Giulia Un secchio d'acqua? Ma chi ____
Barbiere Uno… un cretino che abita qui sopra nel palazzo ____
Giulia Ma dai ____
Mauro Ma è chiuso ____
Barbiere Sì, è chiuso ____
Mauro Ma forse è tardi.
Giulia No… Non ci hanno detto niente…

3b *Le figure qui sotto indicano le intonazioni. Inserisci il segno di punteggiatura corrispondente ad ogni immagine.*

3c *Lavora insieme a due compagni. Dividetevi i ruoli e recitare il dialogo cercando di essere fedeli all'originale.*

4 Gioco | Di che colore è?

✳ **Studente A** (Le istruzioni per lo **Studente B** sono a pag. 141)
Guarda i quadri nella colonna destra e fai una domanda allo **Studente B**, come nell'Esempio 1.
Poi verifica la sua risposta (se il colore è giusto). Quindi ascolta la domanda dello **Studente B**
(Esempio 2) e prova a indovinare il colore mancante. Se la risposta è giusta colora il quadro.
Vince chi colora per primo tutti i quadri.

🖊 **Esempio 1**
Studente A Nel quadro di **de Chirico**,
          di che colore è <u>la palla</u>?
Studente B È …
Studente A Sì./No.

🖊 **Esempio 2**
Studente B Nel quadro di **Modigliani**,
          di che colore è il cuscino?
Studente A È …
Studente B Sì./No.

GIALLO
ROSA
ARANCIONE
ROSSO
VERDE
AZZURRO
BLU
VIOLA
MARRONE
NERO
GRIGIO
BIANCO

Piero della Francesca
il cappello

Pietro Longhi
i cappelli

Felice Casorati
le mele

Andrea Mantegna
la nuvola

Francesco Hayez
la giacca

Amedeo Modigliani
il cuscino

Giorgio de Chirico
la palla

Raffaello
le maniche

Carlo Carrà
il triangolo

Caravaggio
la tunica

Giorgione la mantella

Lorenzo Lotto i pantaloni

5 Scrivere | Una mail

5a *Vuoi passare qualche giorno in uno dei luoghi del punto **1**.*
Scrivi su un foglio la mail di prenotazione, poi dai il foglio all'insegnante.

5b *L'insegnante ti darà un foglio con una delle prenotazioni scritte dai tuoi*
compagni. Scrivi su un nuovo foglio la mail di risposta.
Inventa le informazioni che non sai.

5c *L'insegnante ti riconsegnerà il foglio con la mail di prenotazione che hai*
*scritto al punto **5a**. Alla lavagna sono appese tutte le mail di risposta.*
Insieme ai compagni, vai alla lavagna e trova la risposta che corrisponde
alla tua richiesta di prenotazione.

6 Parlare | Colori

6a *Mettiti comodo e chiudi gli occhi. Per un minuto, pensa intensamente*
a un colore. Cosa ti fa venire in mente? Libera l'immaginazione.

6b *Lavora in coppia con un compagno. A turno, uno dei due dice*
all'altro quali immagini, idee, emozioni ha pensato. Il compagno
deve indovinare il colore scelto dall'altro studente.

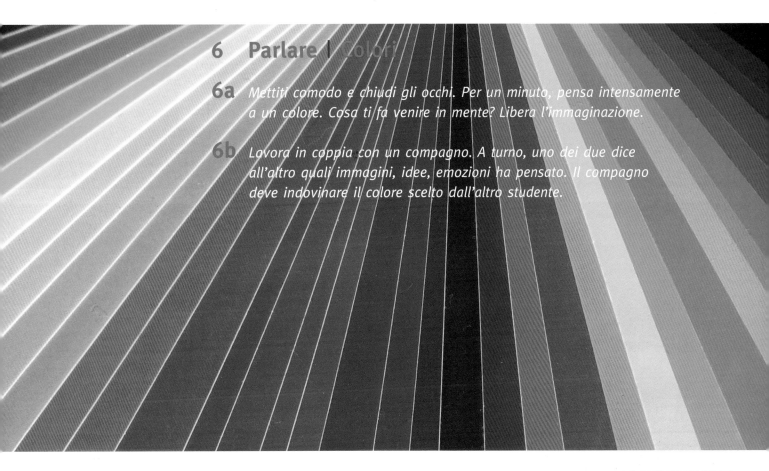

unità 6 | di che colore è?

Collega gli esempi a destra con i contenuti di comunicazione a sinistra.
Poi confronta con l'indice a pag. 48.

comunicazione

Descrivere un albergo   ?   (Di che colore è?)

I colori   ?   (Le camere sono pulite)

A VENEZIA, ANNA RICEVE L'ORDINE DI ANDARE A ROMA.

I CROCIATI VENEZIANI SEGUONO ANNA, MA LEI...

ARRIVEDERCI!

NEL TRENO PER ROMA...

IO MI RICORDO... LA FINE DEL MONDO...

TERREMOTI...

MILANO, 2045 D.C.

MAREMOTI...

AGRIGENTO, 2046 D.C.

PISA, 2048 D.C.

URAGANI...

ROMA... TUTTI VANNO A ROMA... LO SPECCHIO DI ROMA...

SILENZIO, VECCHIO!

QUATTRO ORE DOPO ANNA È A ROMA E VA IN UN ALBERGO VICINO ALLA FONTANA DI TREVI.

NELLO STESSO MOMENTO, FUORI DALL'ALBERGO...

CONTINUA...

1 I suoni [l] e [r]

1a *Ascolta e segna quale suono senti per ogni parola.* **DVD** 20
Segui gli esempi.

	1.	2.	3.	4.	5.	6.	7.	8.	9.	10.	11.	12.
[l]	☒	☐	☐	☐	☐	☐	☐	☐	☐	☐	☐	☐
[r]	☐	☒	☐	☐	☐	☐	☐	☐	☐	☐	☐	☐

1b *Ascolta e inserisci la lettera giusta.* **DVD** 21

1. a__ba   2. apri__e   3. ca__mo   4. cope__to   5. gia__dino   6. gio__nale
7. odo__e   8. pa__co   9. po__tone   10. p__anzo   11. sa__to   12. st__ano

2 L'accento di parola

2a *Ascolta le parole e* <u>sottolinea</u> *la vocale accentata, come negli esempi.* **DVD** 22

1. alb<u>e</u>rgo   2. caff<u>e</u>   3. arrivare   4. brasiliano   5. camera   6. colazione
7. costano   8. facile   9. lunedi   10. museo   11. Napoli   12. olandese
13. perche   14. sabato   15. undici   16. unita   17. ventitre   18. ventinove

2b <u>Sottolinea</u> *così le parole dell'esercizio* **2a**:
- tre volte = accentata sulla terz'ultima vocale (c<u>o</u>stano)
- due volte = accentata sulla penultima vocale (alb<u>e</u>rgo)
- una volta = accentata sull'ultima vocale (luned<u>ì</u>)

2c *Osserva queste parole e* <u>sottolinea</u> *la vocale accentata. Poi confrontati con un compagno.*

1. albero   2. arrivano   3. cinquantatre   4. citta   5. dodici   6. difficile   7. domenica
8. francese   9. italiano   10. parlano   11. quaranta   12. singola   13. studente   14. giovedi

2d *Ascolta e verifica.* **DVD** 23

2e *Gioca con un compagno. (Le istruzioni per lo* **Studente B** *sono a pag. 145)*

★ **Studente A**
Scegli una parola nella tua lista e pronunciala sottolineando la vocale accentata.
Lo **Studente B** controlla se è giusto. In caso di pronuncia corretta, prendi i punti indicati qui sotto. Poi il turno passa al tuo compagno. Lui sceglie una parola dalla sua lista e la pronuncia. Tu controlli nella lista dello **Studente B** se la pronuncia è corretta. Alternatevi in questo modo fino a pronunciare tutte le parole. Vince chi realizza più punti.

- parola accentata sulla terz'ultima vocale = 3 punti
- parola accentata sulla penultima vocale = 2 punti
- parola accentata sull'ultima vocale = 1 punto

2f *Ascolta e verifica.* **DVD** 24

	Studente A	Studente B
1.	familiare	ventuno
2.	scrivere	storico
3.	musica	libero
4.	insegnante	quarantar<u>e</u>
5.	partono	universit<u>a</u>
6.	numero	col<u>o</u>re
7.	liberta	matrimoni<u>a</u>le
8.	turista	stazi<u>o</u>ne
9.	pulito	tel<u>e</u>fono
10.	nazionalita	pr<u>e</u>ndere

modulo tre | società

unità 7   che lavoro fai?

unità 8   bene grazie, e Lei?

unità 9   al bar

comunicazione

Chiedere e dire il lavoro ▸ *Che lavoro fai?*
▸ *Faccio il cuoco, Sono cuoco*

Informale / Formale ▸ *Dare del tu, Dare del Lei*

Chiedere a una persona come sta e rispondere
▸ *Come stai?* ▸ *Bene grazie e tu?*
▸ *Come sta?* ▸ *Bene grazie e Lei?*

Chiedere e rispondere al bar
▸ *Tu cosa prendi?, Cosa prendete?,*
Posso avere...? ▸ *Vorrei...,*
Io prendo... Per me...

Salutare in modo informale e formale
▸ *Ciao, Ci vediamo, A presto,*
Buongiorno, Arrivederci

Richiamare l'attenzione di qualcuno
in modo informale e formale
▸ *Scusa, Scusi*

Chiedere e dire il prezzo
▸ *Quant'è?* ▸ *Sono quattro euro e venti*

grammatica

I verbi in *-isco*

Gli articoli determinativi

La concordanza
articolo-nome-aggettivo

Il verbo *fare*

I nomi delle professioni

I verbi modali *dovere, potere, volere*

Le preposizioni di luogo *da, a* e *in*

Gli articoli indeterminativi

comunicazione

Chiedere e dire il lavoro
▸ *Che lavoro fai?*
▸ *Faccio il cuoco, Sono cuoco*

grammatica

I verbi in *-isco*

Gli articoli determinativi

La concordanza
articolo-nome-aggettivo

Il verbo *fare*

I nomi delle professioni

1 Introduzione

1a *Abbina i titoli dei film alle locandine, dove necessario.*

1.

2.

3.

4.

Auguri professore

Camerieri

5.

6.

7.

8.

Il barbiere di Rio

Il medico della mutua

Segretario particolare

9.

10.

11.

12.

I due carabinieri

1b <u>*Sottolinea*</u> *le 12 professioni presenti nei titoli dei film.*

Verbi in *-isco*

Molti verbi in *-ire* hanno una coniugazione particolare, come il verbo capire.
Nelle trame dei film ci sono 4 verbi di questo tipo:

_____

_____

_____

_____

	capire
io	capisco
tu	capisci
lui / lei	capisce
noi	capiamo
voi	capite
loro	capiscono

2 Leggere | Andiamo al cinema

2a *Completa le trame dei film con i loro titoli, tra quelli del punto* **1a**.

> 1. Davide è il _____ di un uomo politico: prende gli appuntamenti, riceve le telefonate, pulisce lo studio, compra i fiori per sua moglie. Ma non solo: deve anche amministrare una grande quantità di denaro. Un giorno capisce che quei soldi hanno una provenienza sospetta, ma è troppo tardi.

> 2. Vincenzo Lipari fa l'insegnante e, dopo tanti anni, non sopporta più gli studenti e odia il suo lavoro. Ma un giorno arriva una nuova collega: si chiama Luisa, una ex alunna dei primi anni. Grazie a questo incontro Lipari ricostruisce un nuovo rapporto con la sua classe e con il suo lavoro. Il film vuole mostrare la vita dura ma affascinante dell'insegnante nella scuola italiana. È proprio il caso di dire "_____!"

> 3. Marino e Glauco si conoscono all'esame di ammissione all'Arma e diventano grandi amici. Tutto va bene, fino a quando conoscono Rita, che si innamora di Glauco. I due vogliono sposarsi e Marino, anche lui innamorato di Rita, preferisce andare in un'altra città. Glauco lo raggiunge e lo aiuta a risolvere alcune missioni importanti e pericolose.
> Il film finisce bene: _____ tornano amici e Marino accetta la nuova situazione. Finalmente Glauco e Rita possono sposarsi.

2b *Prova ad immaginare il genere dei film del punto* **2a**. *Inseriscili sulla linea, come nell'esempio.*

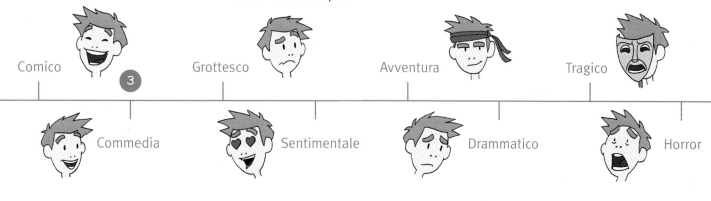

Comico   ③   Grottesco   Avventura   Tragico

Commedia   Sentimentale   Drammatico   Horror

2c *Scegli un film (tra quelli del punto* **2a**) *che vuoi vedere e uno che non vuoi vedere. Poi cerca, tra i compagni di classe, quelli che hanno i tuoi stessi gusti.*

Voglio vedere ( )

Non voglio vedere ( )

3 Analisi grammaticale | Gli articoli determinativi

*Guardando i testi 1 e 2 del punto 2a, inserisci gli articoli determinativi
della lista nello schema, come nell'esempio.*

 il lo la l' i gli le

maschile		
	Prima di *z, gn, ps, pn, x, y, s* + cons.	Prima di vocale	Prima di consonante
singolare	_____	_____	_____
plurale	_____	_____	

femminile	
	Prima di consonante	Prima di vocale
singolare	_____	l'
plurale	_____	

4 Gioco | Concordanze

4a *Formate delle squadre. Ricostruite le frasi combinando le quattro parti in base
al colore. La prima squadra che pensa di avere finito chiama l'insegnante.
Se la frase è giusta può andare al punto 4b, altrimenti si continua*.*

1. articolo	2. nome	3. verbo	4. aggettivo / nome
Gli			
I			
I			
La			
La			
Le			
L'			
Lo			
Il			
Il			

alberghi	conserva	accogliente
ambiente	è	ancora libere
Bed & Breakfast	è	amici
camere	guarda	comodi
chiesa del '700	ha	la televisione
due carabinieri	si chiama	Luisa
letti	sono	molte opere
nuova collega	sono	tutti pieni
pompiere	sono	simpatico
studente di italiano	sono	tante torte

*Nota per l'insegnate: nella Guida è disponibile una versione del gioco con bigliettini ritagliabili.

4b *Continua a lavorare con la stessa squadra. Inserite nelle frasi del punto* **4a***, dove vi sembra opportuno, i quattro aggettivi qui sotto. La prima squadra che pensa di avere finito chiama l'insegnante. Se è giusto vince, altrimenti si continua.*

(rinascimentali)   (economiche)   (romani)   (deliziose)

5   Ascoltare | Strani mestieri   25

5a *Ascolta il servizio giornalistico e rispondi alla domanda.*

▸ Tra le professioni presenti nei titoli dei film del punto **1**, due vengono pronunciate nell'audio. Quali?

(_____)   (_____)

5b *Indica i mestieri nell'ordine in cui vengono nominati nell'audio, come negli esempi. Attenzione: nella lista ci sono quattro mestieri in più.*

☐ Montatore di mobili   ☐ Cameriere   ☐ Commesso   ③ Stiratrice

☐ Cronista sportivo   ☐ Cuoco   ☐ Farmacista   ☐ Hostess

⑧ Operatore call center   ☐ Infermiera   ☐ Maestra   ☐ Mistery shopper

☐ Affittacamere   ☐ Operaio   ☐ Segretaria

6 Gioco | Cruciverba

Completa lo schema scrivendo il maschile o il femminile delle professioni e il luogo di lavoro. Aiutati facendo il cruciverba. Segui l'esempio.

Che lavoro fa?

maschile

	femminile	**Dove lavora?**
Professore	3 V *Professoressa*	13 O ___
9 O ___	Infermiera	6 V ___
Cameriere	15 V ___	22 O ___
Carabiniere	16 O ___	11 V ___
20 O ___	Maestra	13 O ___
Segretario	13 V ___	4 O ___
Impiegato	9 V ___	4 O ___
Commesso	7 O ___	12 O ___
Cuoco	19 V ___	22 O ___
Operaio	2 V ___	10 V ___
1 O ___	Stiratrice	11 O ___
Montatore	21 O ___	11 O ___
Operatore	14 O ___	4 O ___
8 O ___	*Cronista*	17 O ___
Commercialista	5 V ___	4 O ___
Farmacista	18 O ___	23 O ___

Che lavoro fai?

Osserva:

- Che lavoro fa Vincenzo Lipari?
- ■ Fa l'insegnante. / È insegnante.

- Che lavoro fai?
- ■ Faccio il barbiere. / Sono barbiere.

fare	
io	faccio
tu	fai
lui / lei	fa
noi	facciamo
voi	fate
loro	fanno

O = orizzontale ➡
V = verticale ⬇

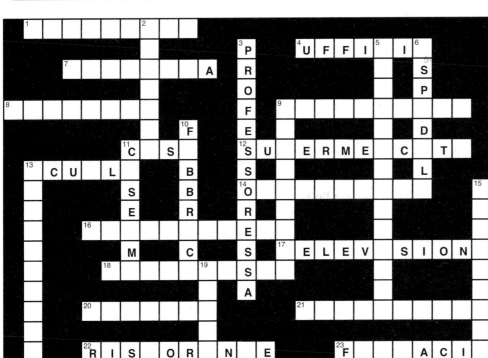

7 Analisi grammaticale | I nomi delle professioni

Osserva i nomi delle professioni del cruciverba al punto 6 *e completa la regola.*

Nomi in -*ista*

I nomi di professione in -*ista* al singolare hanno il maschile e il femminile
☐ uguale. ☐ diverso.

Nomi in -*e*

Molti nomi di professione in -*e* al maschile singolare finiscono in -*iere*
e al femminile in _____ .

Altri nomi di professione in -*e* al maschile singolare finiscono in -*tore*
e al femminile in _____ .

Un caso particolare è il nome *professore* (femminile: _____).

8 Esercizio | Che lavoro fai?

8a *Lavora in coppia con un compagno. A turno, uno dei due sceglie una coppia di nomi e fa una domanda al compagno, l'altro risponde e domanda. Attenzione: a volte dovete usare il maschile (♂), a volte il femminile (♀), a volte il verbo* essere, *a volte il verbo* fare *con l'articolo. Seguite l'esempio.*

> **Esempio**
> Cameriere (♀ / sono) – Impiegato (♂ / faccio)
>
> ■ Che lavoro fai?
> ● Sono cameriera. E tu?
> ■ Faccio l'impiegato.

1. Infermiere (♀ / faccio) – Operaio (♂ / sono)
2. Attore (♀ / sono) – Psicanalista (♂ / faccio)
3. Professore (♀ / sono) – Barista (♀ / faccio)
4. Giornalista (♂ / sono) – Scrittore (♂ / faccio)
5. Biologo (♀ / faccio) – Dentista (♂ / sono)
6. Gelataio (♂ / faccio) – Cuoco (♀ / sono)

8b *E tu che lavoro fai?*

9 Scrivere e parlare | Il tuo film

 26

9a *Mettiti comodo, chiudi gli occhi e ascolta. A che tipo di film ti fa pensare questa musica? Immagina il genere, i personaggi e i luoghi. Libera l'immaginazione.*

9b *Ora riascolta e prendi appunti.*

genere	personaggi	luoghi

9c *Confronta i tuoi appunti con un compagno. Mentre lavorate, riascoltate la musica. Alla fine scrivete un titolo per ognuno dei due film.*

titolo

unità 7 | che lavoro fai?

Cosa hai studiato di grammatica in questa unità? Collega i contenuti di sinistra con gli esempi di destra, come nell'esempio.

grammatica

I verbi in -*isco* → (*i letti sono comodi*)

Gli articoli determinativi (*faccio, fai, ...*)

La concordanza articolo-nome-aggettivo (*il, la, ...*)

Il verbo *fare* (*giornalista, cameriere, ...*)

I nomi delle professioni (*capire, finire, ...*)

comunicazione

Informale / Formale
▸ *Dare del tu, Dare del Lei*

Chiedere a una persona
come sta e rispondere
▸ *Come stai?* ▸ *Bene grazie
e tu?*
▸ *Come sta?* ▸ *Bene grazie
e Lei?*

Chiedere e rispondere al bar
▸ *Tu cosa prendi?,
Cosa prendete?, Posso
avere...?* ▸ *Vorrei...,
Io prendo... Per me...*

grammatica

I verbi modali *dovere,
potere, volere*

Le preposizioni di luogo
da, a e *in*

unità 8 bene grazie, e Lei?

1 Ascoltare | Dal barbiere

 27

1a *Ascolta il dialogo e scegli il disegno che meglio esprime il contenuto.*

1b *Ascolta ancora il dialogo e rispondi alle domande.*

1. Che lavoro fanno i quattro personaggi? Unisci i personaggi ai lavori, come nell'esempio.

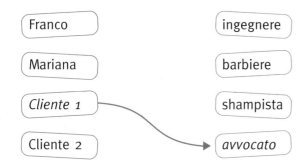

Franco

Mariana

Cliente 1

Cliente 2

ingegnere

barbiere

shampista

avvocato

2. Di solito, in quale giorno della settimana il negozio di Franco è chiuso?

3. In quale giorno della settimana si svolge il dialogo?
   ☐ Lunedì   ☐ Martedì   ☐ Mercoledì   ☐ Giovedì   ☐ Venerdì
   ☐ Sabato   ☐ Domenica

1c *Perché Franco è preoccupato? Parlane con un compagno. Se necessario, riascoltate il dialogo.*

2 Analisi grammaticale | Formale e informale 28

2a *Il dialogo dal barbiere ha un registro formale. Ascolta l'inizio e indica da cosa lo capisci.*

Il dialogo è formale perché:
☐ Le due persone usano la seconda persona plurale (voi).
☐ Le due persone usano la terza persona singolare femminile (Lei).
☐ Le due persone usano la seconda persona singolare (tu).

2b *Nella colonna a sinistra una parte del dialogo è stata trasformata al registro informale. Completa il dialogo nella colonna a destra, usando il registro formale, come nell'esempio. Poi ascolta e verifica.*

Informale

Barbiere	Che <u>devi</u> fare?
Avvocato	Barba e capelli.
Barbiere	Finisco di tagliare i capelli all'ingegnere e poi <u>ci sei tu</u>.
Avvocato	Ingegnere buongiorno.
Ingegnere	Ah, buongiorno avvocato. Come <u>stai</u>?
Avvocato	Bene grazie. E <u>tu</u>?
Ingegnere	Non c'è male.

Formale

Barbiere	Che _____ fare?
Avvocato	Barba e capelli.
Barbiere	Finisco di tagliare i capelli all'ingegnere e poi <u>c'è</u> <u>Lei</u>.
Avvocato	Ingegnere buongiorno.
Ingegnere	Ah, buongiorno avvocato. Come _____?
Avvocato	Bene grazie. E _____?
Ingegnere	Non c'è male.

Dare del Lei

Nel registro formale si usa la terza persona singolare femminile.

Per questo parlare in modo formale si dice "dare del Lei".

Parlare in modo informale si dice "dare del tu".

Come stai?

Quando due amici si incontrano la prima domanda è come stai?

Quasi sempre la risposta è bene. Si risponde male o così così solo ad una persona molto amica.

3 Gioco | Come stai?

3a *Completa le possibili risposte alla domanda "Come stai? / Come sta?" con due espressioni del dialogo al punto* **2b**.

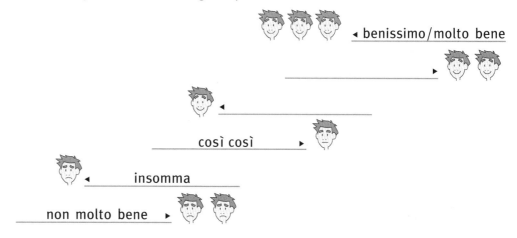

benissimo/molto bene

_____

_____

così così

insomma

non molto bene

3b *Formate delle coppie. Ogni coppia sceglie un disegno e due stati d'animo (uno per ogni personaggio). Poi prepara il dialogo d'esempio con gli elementi scelti inventando i nomi dei personaggi e facendo attenzione al formale / informale. Attenzione: è vietato scrivere il dialogo.*

> **Esempio**
> 2. Paolo / , Signora Torre / .
> ● Ciao Paolo, come stai?   ■ Bene, grazie signora Torre, e Lei?   ● Così così.

3c *Ogni coppia gira per la classe e "sfida" le altre. Durante la sfida la prima coppia recita il proprio dialogo e l'altra deve indovinare quale disegno è stato scelto e quali sono gli stati d'animo dei due personaggi. Se indovina tutti gli elementi prende un punto. Poi le coppie si scambiano i ruoli. Vince la coppia che, dopo aver sfidato tutte le altre, ha ottenuto più punti.*

4 Leggere | Altamura

Leggi l'articolo e decidi quale è il titolo giusto.

LA STAMPA

QUOTIDIANO FONDATO NEL 1867

LUNEDÌ 20 ▪▪▪▪▪▪ · ▪▪▪▪▪▪▪ 1,00 € IN ITALIA (PREZZI PROMOZIONALI ED ESTERO IN ULTIMA) SPEDIZIONE ABB. POSTALE - D.L. 353/03 (CONV. IN L. 27/02/04) ART. 1 COMMA 1, DCB - TO www.lastampa.it

Altamura:

Conoscete il detto "volere è potere"? In questo caso è vero. Questa storia inizia cinque anni fa, quando *McDonald's* arriva in Puglia e decide di aprire un suo spazio a Altamura, una cittadina di 65.000 abitanti. La novità ha subito un grande successo: la maggior parte della gente infatti ha visto un fast-food solo in televisione e così il nuovo *McDonald's* registra ogni giorno il "tutto esaurito". Al punto che, per mangiare un *Big Mac*, le persone devono prendere il ticket e fare una lunga fila.

Ma a questo punto succede qualcosa di imprevisto. Luca Digesù, un giovane panettiere del posto, apre una piccola bottega nella stessa piazza.

Il panettiere abbassa subito i prezzi e moltiplica l'offerta: focacce, focaccine, pizze e panini di tutti i tipi. Naturalmente tutto preparato con prodotti locali e genuini. Digesù capisce che la sua è la scelta giusta quando i genitori, dopo aver accompagnato i bambini da *McDonald's*, vanno a mangiare qualcosa di buono da lui. In poche settimane la "corrente" dei clienti s'inverte e la piccola bottega comincia a riempirsi di clienti insoddisfatti dei *Big Mac*. Infatti tutti vogliono mangiare la meravigliosa "focaccia" locale di farina di grano duro, spessa e spugnosa, condita con l'olio di oliva e il pomodoro fresco.

McDonald's, per recuperare le perdite, inventa nuove promozioni, moltiplica le feste per bambini, cambia direttore. Ma non può fare niente per cambiare le cose: davanti ai prodotti di qualità di un piccolo fornaio, il gigante americano deve chiudere.

☐ *Altamura*: pizza e McDonald's nella stessa piazza
☐ *Altamura*: apre fornaio e chiude McDonald's
☐ *Altamura*: apre McDonald's e chiude fornaio del paese

5 Analisi della conversazione | Richieste al bar

5a *Guarda le 5 parti evidenziate nel dialogo: 4 sono state scambiate. Rimettile nella giusta posizione.*

Barbiere	Hai sentito Mariana? I nostri due clienti più affezionati! Meritano proprio un caffè!
Mariana	Ma certo, vado io al bar. Tu cosa prendi?
Avvocato	Io prendo un caffè macchiato per favore. Grazie.
Ingegnere	E io... Per me un cappuccino?
Mariana	Certo ingegnere. Franco? Cosa prendete?
Barbiere	Eh... Posso avere un caffè normale, grazie Mariana.
Mariana	Allora io vado.

Pane, pizza e altro

- La pizzeria è un ristorante dove si mangia la pizza tonda, di differenti tipi a seconda della regione. Nelle pizzerie al taglio la pizza non è tonda e si mangia in piedi.

- Il forno è un negozio che produce e vende pane e pizza (generalmente solo bianca o rossa). Al forno si prendono anche focacce e panini di vario tipo.

- La persona che fa la pizza si chiama pizzaiolo, chi fa il pane si chiama panettiere.

Un caffè...

Il caffè al bar si prende velocemente, in piedi al banco. Il caffè si beve sempre dopo pranzo, mentre la mattina è possibile anche prendere un cappuccino.
Il caffè può essere: semplice, macchiato (con un po' di latte caldo), corretto (con un alcolico), ristretto (molto piccolo), lungo (con molta acqua), al vetro (in un bicchierino di vetro), ecc.
Molto importante è anche la differenza tra cappuccino e latte macchiato: il primo è una tazza di latte con schiuma e caffè, il secondo è un bicchiere con molto latte e poco caffè.

5b *Ascolta molte volte il dialogo e* sottolinea, *in ogni frase, la sillaba con l'accento più forte, come negli esempi.* 29

Mariana   Ma <u>ce</u>rto, | vado <u>io</u> al bar. | Cosa pren<u>de</u>te?
Avvocato   Io prendo un caffè macchiato per favore. | Grazie.
Ingegnere   E io... | Posso avere un cappuccino?
Mariana   Certo ingegnere. | Franco? | Tu cosa prendi?
Barbiere   Eh... | Per me un caffè normale, | grazie Mariana.
Mariana   Allora io vado.

5c *Lavorate in gruppi di quattro. Recitate il dialogo dell'attività* **5b** *rispettando le intonazioni e gli accenti. Se necessario riascoltate.*

6   Analisi grammaticale | Verbi modali

6a *Completa le tabelle dei verbi. Aiutati cercando i verbi nel testo dell'attività* **4**.

verbi modali

	dovere	potere	volere
io	devo	posso	voglio
tu	devi	puoi	vuoi
lui/lei			vuole
noi	dobbiamo	possiamo	vogliamo
voi	dovete	potete	volete
loro		possono	

6b *Completa la regola sui verbi modali. Aiutati ancora con i testi dell'attività* **4**.

I verbi dovere, potere e volere si chiamano "modali".
Generalmente sono seguiti da:
☐ un nome.   ☐ un verbo all'infinito.
☐ un verbo al presente.   ☐ un aggettivo.

7   Parlare | Modi di dire

7a *Lavora con un compagno. Cercate di capire il significato dei modi di dire della lista. Poi sceglietene uno e improvvisate un minidialogo (2-3 battute) usando il modo di dire scelto.*

Volere è potere

Sognare non costa niente

Prima il dovere e poi il piacere

Parla come mangi

7b *Quando l'insegnante sorteggia il modo di dire che hai scelto al punto* **7a**, *recita il dialogo con il tuo compagno davanti alla classe. Quando tutte le coppie hanno recitato il loro dialogo, la classe vota la coppia migliore.*

8   Analisi lessicale | Preposizioni di luogo

8a *Inserisci nelle frasi le preposizioni a destra, come nell'esempio. Le preposizioni sono in ordine.*

1. McDonald's arriva Puglia   (*in*)

2. McDonald's decide aprire un suo spazio Altamura   (di) (a)

3. Ma questo punto succede qualcosa imprevisto   (a) (di)

4. I genitori vanno mangiare qualcosa buono lui   (a) (di) (da)

5. I genitori accompagnano i bambini Mc Donald's   (da)

8b *Completa la regola.*

> Quando il luogo è geografico si usano le preposizioni:
> _____ (con i nomi di regione e nazione) e _____ (con i nomi di città).
>
> Quando il luogo è una persona (un nome, un pronome, ecc.), si usa la preposizione:
> _____ .

Completa gli spazi riguardando quello che hai studiato. Poi confronta con l'indice a pag. 63.

comunicazione

Informale / Formale ▸ Dare del _____, Dare del _____

Chiedere a una persona come sta e rispondere
▸ *Come stai?* ▸ *Bene grazie e tu?*
▸ *Come sta?* ▸ *Bene grazie e Lei?*

Chiedere e rispondere al bar ▸ *Tu cosa prendi?, Cosa prendete?, Posso avere...?* ▸ *Vorrei..., lo prendo... Per me...*

grammatica

I verbi modali *dovere*, _____, *volere*

Le preposizioni di luogo *da, a* e *in*

comunicazione

Salutare in modo
informale e formale
▸ *Ciao, Ci vediamo, A presto,
Buongiorno, Arrivederci*

Richiamare l'attenzione
di qualcuno in modo
informale e formale
▸ *Scusa, Scusi*

Chiedere e dire il prezzo
▸ *Quant'è?* ▸ *Sono quattro
euro e venti*

grammatica

Gli articoli indeterminativi

unità **9** | al bar

1 Analisi lessicale | Caffè o cappuccino?

*Collega i nomi delle cose che puoi ordinare al bar con le immagini,
come nell'esempio.*

a. b. c. d. e. f.
t. g.

latte macchiato   caffè freddo

toast   cornetto

succo di frutta

yogurt

strudel   h.

cioccolata calda   tramezzino

s.

pasta   spremuta d'arancia

tè   i.

r.

tè freddo   cappuccino

acqua minerale   panino

caffè   caffè macchiato

q. p. o. n. m. l.

2 Ascoltare | Un cornetto semplice 🎵 30

2a *Ascolta il dialogo e scegli l'opzione corretta riguardo al rapporto tra le tre persone che parlano.*

| Mariana e l'altra cliente | ☐ si conoscono. | ☐ non si conoscono. |
| | ☐ forse si conoscono, forse non si conoscono. | |

| Mariana e il barista | ☐ si conoscono. | ☐ non si conoscono. |
| | ☐ forse si conoscono, forse non si conoscono. | |

| L'altra cliente e il barista | ☐ si conoscono. | ☐ non si conoscono. |
| | ☐ forse si conoscono, forse non si conoscono. | |

2b *Ascolta ancora e rispondi alle domande.*

Chi prende il cornetto? ☐ L'altra cliente. ☐ Mariana. ☐ Nessuno.

Quanti soldi dà Mariana al barista?
☐ 10 euro.
☐ 9 euro e 30 centesimi.
☐ 10 euro e 70 centesimi.

3 Analisi lessicale | Al bar 🎵 30

3a *Tutte le espressioni della lista vengono dette nel dialogo al bar. Ascolta ancora e indica a cosa serve ognuna delle espressioni.*

Informale

(scusi)
(buongiorno)
(ciao)
(arrivederci)
(ci vediamo)
(scusa)
(a presto)
(ciao)

Formale

Informale	Formale
Per salutare una persona quando arrivo	Per salutare una persona quando arrivo
Per salutare una persona quando vado via	Per salutare una persona quando vado via
Per richiamare l'attenzione di qualcuno	Per richiamare l'attenzione di qualcuno

3b *Abbina le due espressioni estratte dal dialogo del punto **2** alla loro funzione.*

(1. *Vorrei un caffè normale.*) (2. *Quant'è?*)

a. Si usa per chiedere il prezzo: _____

b. Si usa per ordinare qualcosa in modo gentile: _____

---

4 Esercizio | Scusa…

Lavora in un gruppo di tre. Scegliete una situazione e modificate il dialogo originale come nell'esempio. Poi scambiatevi i ruoli e scegliete una nuova situazione. Continuate finché non avete riprodotto tutte le situazioni.

Situazioni

1

Mariana e l'altra cliente si conoscono.

Mariana e il barista si conoscono.

L'altra cliente e il barista non si conoscono.

2

Mariana e l'altra cliente si conoscono.

Mariana e il barista non si conoscono.

L'altra cliente e il barista si conoscono.

3

Mariana e l'altra cliente si conoscono.

Mariana e il barista non si conoscono.

L'altra cliente e il barista non si conoscono.

4

Mariana e l'altra cliente non si conoscono.

Mariana e il barista si conoscono.

L'altra cliente e il barista si conoscono.

5

Mariana e l'altra cliente non si conoscono.

Mariana e il barista non si conoscono.

L'altra cliente e il barista si conoscono.

6

Mariana e l'altra cliente non si conoscono.

Mariana e il barista non si conoscono.

L'altra cliente e il barista non si conoscono.

✏ Esempio

Situazione 2

Mariana e l'altra cliente si conoscono.
Mariana e il barista non si conoscono.
L'altra cliente e il barista si conoscono.

Dialogo originale:		Testo modificato:	
Mariana	Ciao.	Mariana	Buongiorno.
Barista	Ciao Mariana. Cosa prendi?	Barista	Buongiorno signora. Cosa prende?
Cliente	Scusi… posso chiedere un'informazione?	Cliente	Scusa… posso chiedere un'informazione?
Mariana	Certo! Prego.	Mariana	Certo! Prego.
Cliente	Buongiorno.	Cliente	Ciao.
Barista	Buongiorno.	Barista	Ciao.
Cliente	I cornetti sono finiti?	Cliente	I tramezzini sono finiti?
Barista	No, no.	Barista	No, no.

5 Analisi grammaticale | Gli articoli indeterminativi

5a *Sottolinea gli articoli indeterminativi nelle frasi estratte dal dialogo del punto , come nell'esempio.*

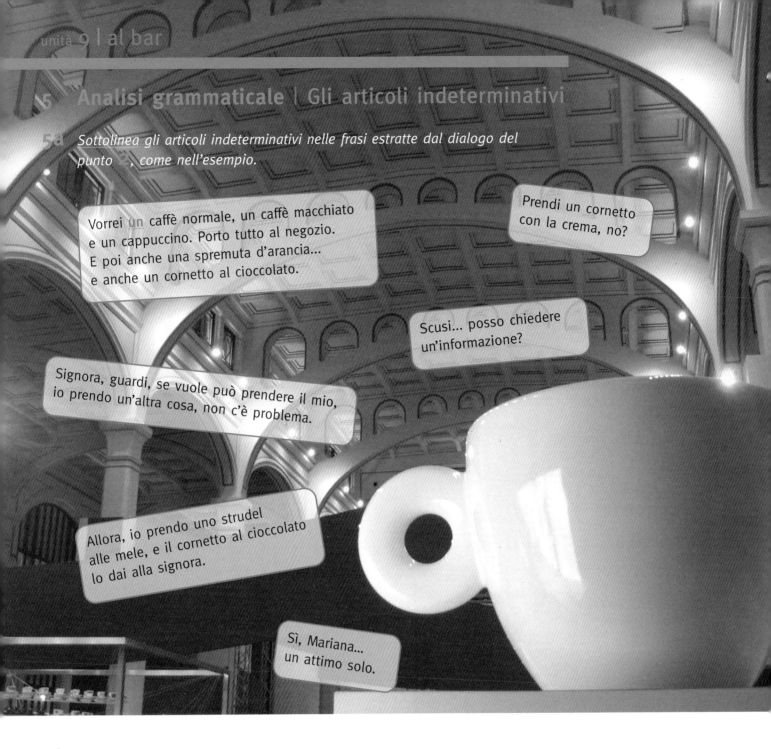

Vorrei <u>un</u> caffè normale, un caffè macchiato e un cappuccino. Porto tutto al negozio. E poi anche una spremuta d'arancia... e anche un cornetto al cioccolato.

Prendi un cornetto con la crema, no?

Scusi... posso chiedere un'informazione?

Signora, guardi, se vuole può prendere il mio, io prendo un'altra cosa, non c'è problema.

Allora, io prendo uno strudel alle mele, e il cornetto al cioccolato lo dai alla signora.

Sì, Mariana... un attimo solo.

5b *Guarda gli articoli che hai sottolineato al punto **5a** e inseriscili nello schema.*

maschile	
Prima di z, *gn*, *ps*, *pn*, x, y, s + cons.	Prima di consonante o vocale
singolare _____	_____

femminile	
Prima di consonante	Prima di vocale
singolare _____	_____

MENU	
Caffè	1.00 E
Caffè macchiato	1.00 E
Cappuccino	1.20 E
Acqua minerale	1.50 E
Latte macchiato	1.50 E
Spremuta d'arancia	2.20 E
Succo di frutta	2.00 E
Cioccolata calda	2.00 E
Tè	1.70 E
Tè freddo	1.90 E
Caffè freddo	1.50 E
Yogurt	2.00 E
Cornetto	1.00 E
Pasta	1.20 E
Strudel	2.30 E
Toast	2.50 E
Panino	3.00 E
Tramezzino	2.00 E

6 Parlare | Il giro dei bar

La classe si divide in due gruppi: i baristi e i clienti.

Barista

Sei un barista. Quando un cliente ordina un prodotto dal menù, guarda sulla lista* se è disponibile nel tuo bar. Se è disponibile lo puoi vendere altrimenti no. Attenzione: quando vendi un prodotto lo devi cancellare dalla lista. Quando finisci un prodotto non lo puoi più vendere.

Cliente

Insieme ad un amico fai il giro dei bar della zona. Andate in un bar e ordinate quello che volete. Chiedete il conto e pagate. Dopo aver consumato, andate in un altro bar e ordinate qualcosa di diverso.

Nota per l'insegnate: fotocopiare e consegnare ad ogni barista la lista a pag. 142.

unità 9 | al bar

Cosa hai studiato di grammatica in questa unità? Scegli un contenuto della lista e scrivilo sotto. Poi confronta con l'indice di pag. 69. Attenzione: gli altri contenuti saranno presentati nel modulo quattro.

| I verbi riflessivi | Gli aggettivi possessivi | Gli articoli indeterminativi |

grammatica

_____

A ROMA, I SOLDATI ROMANI PRENDONO BRUNO.

VUOI TROVARE IL TUO PADRONE? OK, ANDIAMO!

MAMMA MIA! È TUTTO DISTRUTTO!

ROMA, SAN PIETRO

LA CORSA DI FIDUS FINISCE AL COLOSSEO.

BRAVO!

BRUNO È IN PERICOLO, MA ANNA…

DAI, CORRI!

EHI, GRAZIE!

RINGRAZIA IL TUO CANE.

ROMA, IL GIANICOLO. DUE ORE DOPO...

NELLO STESSO MOMENTO ARRIVA IL VECCHIO DEL TRENO.

CONTINUA...

1 I suoni [sk] e [ʃ]

PAGINA DELLA FONETICA

1a Ascolta le parole. Che suono senti? Segui gli esempi. 🎧 DVD 31

	[sk]	[ʃ]		[sk]	[ʃ]		[sk]	[ʃ]
conosce	☐	☒	scala	☒	☐	tasca	☐	☐
finisco	☐	☐	discesa	☐	☐	sciopero	☐	☐
maschera	☐	☐	lascia	☐	☐	rischio	☐	☐
scheletro	☐	☐	scuola	☐	☐	esci	☐	☐
maschile	☐	☐	asciugamano	☐	☐	scivolo	☐	☐
scudo	☐	☐						

1b Metti i simboli [sk] e [ʃ] al posto giusto e completa la tabella, come nell'esempio.

			[ʃ]						
conosce discesa	scala tasca	finisco	sciopero	maschera scheletro	lascia	rischio maschile	scuola scudo	esci scivolo	asciugamano

1c Completa la regola, come negli esempi.

[sk] = __sc__a ____he ____i ____o ____u   [ʃ] = __sci__a ____e ____i ____o ____u

1d Ascolta e completa le parole. 🎧 DVD 32

1. pe___ 2. ___perta 3. ___avo 4. ca___na 5. na___re 6. cono___ 7. la___
8. To___na 9. a___tto 10. la___mo 11. ___ma 12. ___rpa 13. ___sa 14. ___ndere

1e Gioco. Formate due squadre, A e B. Ogni squadra scrive nello schema di sinistra una lista di 6 parole con i suoni [sk] e [ʃ] e si esercita a pronunciarle. Poi si formano delle coppie (uno Studente A + uno Studente B). A turno ogni studente sceglie una casella nel suo schema di destra e l'altro legge la parola corrispondente nel suo schema di sinistra. Se il primo studente scrive correttamente la parola nel suo schema di destra, conquista la casella. Vince il primo che fa tris.

2 Le doppie

2a Ascolta e segna la parola che senti. 🎧 DVD 33

1. ☐ sette ☐ sete 2. ☐ nono ☐ nonno 3. ☐ caro ☐ carro 4. ☐ camino ☐ cammino
5. ☐ eco ☐ ecco 6. ☐ pollo ☐ polo 7. ☐ cappello ☐ capello 8. ☐ rosa ☐ rossa

2b Ascolta le coppie di parole e indica con una X quando c'è una doppia. 🎧 DVD 34

1. ☐ ☐ 2. ☐ ☐ 3. ☐ ☐ 4. ☐ ☐ 5. ☐ ☐ 6. ☐ ☐
7. ☐ ☐ 8. ☐ ☐ 9. ☐ ☐ 10. ☐ ☐ 11. ☐ ☐ 12. ☐ ☐

2c Riascolta e scrivi, al punto 2b, la doppia che senti.

unità 10   **la mia giornata**

unità 11   **in famiglia**

comunicazione

Dire a che ora si fa una cosa ▸ *Alle 8 e un quarto, Alle 7*

Dire in che momento della giornata si fa una cosa ▸ *La mattina, Il venerdì pomeriggio*

Parlare della propria famiglia ▸ *Abito con mia madre*

Esprimere accordo o disaccordo ▸ *È giusto, Sono d'accordo / Non è giusto, Non sono d'accordo*

Fare una proposta e accettare ▸ *Ti va di...* ▸ *Certo*

Incoraggiare ▸ *Dai!*

Introdurre un nuovo discorso ▸ *Senti*

grammatica

I verbi riflessivi

Anche / Neanche

Gli avverbi di frequenza

Gli articoli con i giorni della settimana

I possessivi

Gli aggettivi possessivi e i nomi di parentela

C'è / Ci sono

I numeri dopo 1.000

comunicazione

Dire a che ora si fa una cosa
▶ *Alle 8 e un quarto, Alle 7*

Dire in che momento della giornata si fa una cosa
▶ *La mattina, Il venerdì pomeriggio*

grammatica

I verbi riflessivi

Anche / Neanche

Gli avverbi di frequenza

Gli articoli con i giorni della settimana

I possessivi

1 Introduzione

1a *Inserisci la azioni della lista negli spazi, sotto ai disegni corrispondenti.*

(si alza) (si fa la doccia) (si lava i denti) (si pettina) (si sveglia) (si veste)

Alle 8:00 ▶ io mi sveglio, lui dorme.

Alle 8:01 ▶ io mi alzo, lui dorme.

Alle 8:05 ▶ io faccio colazione, lui dorme.

Alle 8:15 ▶ io mi lavo i denti, lui dorme.

Alle 8:20 ▶ io mi faccio la doccia, lui dorme.

Alle 8:25 ▶ io mi vesto, lui dorme.

Alle 8:50 ▶ io mi vesto, lui _____ .

Alle 8:53 ▶ io mi trucco, lui _____ .

Alle 8:57 ▶ io mi pettino, lui fa colazione,

_____ ,

si fa la barba,

_____ ,

_____ .

Alle 9:00 ▶ siamo pronti per una nuova giornata!

Il bagno

Il bagno in Italia riunisce in un unico ambiente la sala da bagno per lavarsi e il gabinetto (o wc).

Il bagno di solito prevede un lavandino, una vasca o una doccia, un wc e un bidet.

1b *Disegna in modo semplice le prime cose che fai quando ti svegli, senza scrivere il verbo. Hai cinque minuti di tempo.*

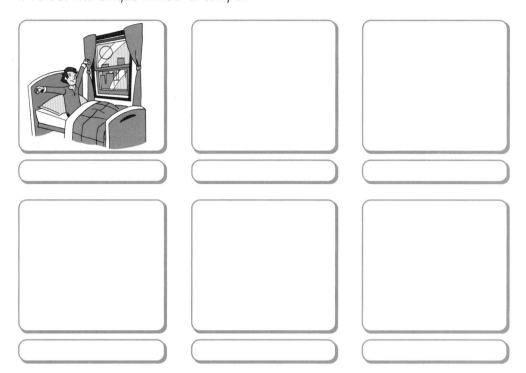

1c *Lavora con un compagno. Scambiatevi i libri e scrivete, per ogni disegno del compagno, il verbo corrispondente, come nell'esempio.*

si sveglia

2 Analisi grammaticale | I verbi riflessivi

*Inserisci nella coniugazione del verbo **lavarsi** i pronomi riflessivi, come negli esempi. Poi confronta con un compagno.*

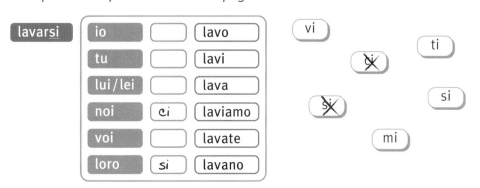

lavarsi

io		lavo
tu		lavi
lui/lei		lava
noi	ci	laviamo
voi		lavate
loro	si	lavano

vi · ~~ci~~ · ti · ~~si~~ · si · mi

I verbi riflessivi

Riflessivo

Io <u>mi</u> vesto.
(*vestirsi*)

Non riflessivo

<u>La mamma</u> veste <u>Marco</u>.
(*vestire*)

Io <u>mi</u> lavo le mani.
(*lavarsi*)

<u>Franco</u> lava <u>la macchina</u>.
(*lavare*)

3   Gioco | Il mimo dei verbi riflessivi

Gioca con un compagno, contro un'altra coppia (coppia A e coppia B). Ogni coppia ha 10 frasi (le frasi della coppia B sono a pag. 139). La prima coppia sceglie una frase e la consegna segretamente ad uno dei due studenti dell'altra coppia. Lo studente deve mimare il contenuto della frase e il suo compagno di coppia deve indovinare e dire l'infinito del verbo dell'azione (ha 30 secondi per indovinare e può provare tutte le volte che vuole). Se lo indovina la coppia guadagna un punto. Poi tocca all'altra squadra.

Frasi coppia A	
Io guardo la finestra	Io mi pettino
Io scrivo	Io mi vesto
Io mi alzo	Io mangio una mela
Io mi lavo i denti	Io dormo
Io apro il libro	Io mi faccio la doccia

Anche / Neanche

Osserva:

- Mi sveglio sempre alle 8.
- Anche io mi alzo presto.

- A pranzo di solito non mangio.
- Neanche io.

4 Leggere | La mia giornata tipo

4a *Inserisci i numeri delle emoticon negli spazi, come nell'esempio.*

▶ 1

▶ 2

▶ 3

▶ 4

▶ 5

▶ 6

▶ 7

▶ 8

▶ 9

▶ 10

▶ La mia giornata tipo

Idea! Descrivete la vostra giornata tipo. Poi votiamo la più bella! ___2___
Giulio

(quote)

Re: ▶ La mia giornata tipo

ciao Giulio, mi piace la tua idea! _____ allora... mi sveglio sempre alle 8, mi alzo con molta calma e faccio colazione: caffè, spremuta d'arancia, cereali, biscotti... ma prima faccio un po' di ginnastica. Poi vado all'università. A pranzo di solito non mangio, vado in palestra e poi a casa a studiare per l'esame.
Marina

(quote)

Re: ▶ La mia giornata tipo

Ciao! Anche io mi alzo presto, verso le 7.30, poi di corsa mi lavo, faccio colazione e ancora un po' addormentata vado a scuola _____. Resto lì praticamente tutto il giorno (8 ORE __4__ AAARGH!!!). Che palle! La peggiore in assoluto è la prof. di matematica... _____ LA ODIO!!! La sera sto quasi sempre a casa... mi chiudo nella mia stanza a chattare con le mie amiche o ad ascoltare musica. Il sabato il mio ragazzo mi passa a prendere con la sua moto e andiamo in giro con i nostri amici fino a tardi _____. Spesso andiamo a ballare, disco, tecno... stiamo bene insieme! _____
Ilaria

(quote)

Re: ▶ La mia giornata tipo

Da quando non lavoro più ho molto tempo libero, ma le mie giornate sono un po' tutte uguali. La mattina vado al parco con il cane. Resto lì fino all'ora di pranzo a leggere. Poi torno a casa, mangio e mi riposo. Il venerdì pomeriggio viene a trovarmi Rita, con i suoi due bambini, Matteo e Dino. La loro visita è il momento più bello della settimana! _____ La sera di solito vado a letto presto. Solo il sabato e la domenica qualche volta vado al cinema o a cena con i miei ex colleghi.
Aldo

(quote)

Re: ▶ La mia giornata tipo

La mia giornata tipo non c'è ___9___. Lavoro per una compagnia aerea come pilota e sono sempre in viaggio. Non ho orari fissi, a volte mi sveglio alle 5 perché il volo parte presto, a volte dormo fino a tardi e il resto della giornata sono libero. Tutto ok? Sì, questa vita movimentata mi piace... Unico problema: la mia ragazza fa la hostess ma non siamo mai sullo stesso aereo!!! _____
Stefano

(quote)

4b *Ora scrivi i nomi degli autori dei post sotto alle loro foto, come nell'esempio.*

nome _____
età   70 anni

nome _____
età   28 anni

nome *Giulio*
età   41 anni

nome _____
età   15 anni

nome _____
età   23 anni

5 Analisi lessicale | Gli avverbi di frequenza

Leggi le frasi e inserisci al posto giusto nella scala gli avverbi di frequenza,
come negli esempi.

(sempre)

mi sveglio <u>sempre</u> alle 8

(di solito)

a pranzo <u>di solito</u> non mangio
la sera <u>di solito</u> vado a letto presto

(quasi sempre)

la sera sto <u>quasi sempre</u> a casa

(spesso)

<u>spesso</u> andiamo a ballare

(qualche volta)

solo il sabato e la domenica
<u>qualche volta</u> vado al cinema

(a volte)

<u>a volte</u> mi sveglio alle 5 perché il volo
parte presto, <u>a volte</u> dormo fino a tardi

(mai)

non siamo mai sullo stesso aereo

+++++ _____

++++ _____

+++ spesso / _____

++ qualche volta / _____

+ raramente / quasi mai _____

– _____

I giorni della settimana e gli articoli

I giorni della settimana
sono tutti maschili, solo
"domenica" è femminile.
Sai inserire l'articolo giusto?

<u>il</u> lunedì

___ martedì

___ mercoledì

___ giovedì

___ venerdì

___ sabato

___ domenica

6 Gioco | Tabù

*Si gioca a coppie, uno studente A e uno studente B. Lo **Studente A** sceglie*
dalla lista un'espressione e la scrive nella colonna TABÙ, senza farsi vedere
*dal compagno. Poi lo **Studente A** comincia a parlare con lo **Studente B** allo*
*scopo di fargli dire l'espressione TABÙ. Compito dello **Studente B** è quello*
di dire, durante la conversazione, il maggior numero di espressioni possibili
contenute nella lista, tranne naturalmente quella TABÙ. Per ogni espressione
*pronunciata riceve un punto. Se però lo **Studente B** pronuncia l'espressione*
TABÙ la conversazione si interrompe e il gioco riprende a ruoli invertiti.
Il gioco va avanti fino allo STOP dell'insegnante. Vince chi alla fine ha
realizzato più punti.

(sempre) (quasi sempre) (spesso)

(di solito) (qualche volta) (a volte) (il sabato)

(raramente) (quasi mai) (mai) (la domenica)

Tabù

7 Analisi grammaticale | Gli aggettivi possessivi

7a *Riguarda i post del punto* **4a** *e indica nella tabella a quale persona si riferiscono gli aggettivi possessivi, come negli esempi.*

7b *Ora indica per ogni aggettivo possessivo se è maschile (M) o femminile (F), e singolare (S) o plurale (P), come negli esempi.*

	io, tu, lui/lei, noi, voi, loro	M | F	S | P
la vostra giornata	Voi (i partecipanti al forum)	F	S
la tua idea	Tu (Giulio)	F	S
nella mia stanza			
il mio ragazzo			
la sua moto			
i nostri amici			
le mie giornate			
i suoi due bambini			
la loro visita			
i miei ex colleghi			

7c *Inserisci gli aggettivi possessivi dei punti* **7a** *e* **7b** *al posto giusto nella tabella.*

aggettivi possessivi

	singolare maschile	singolare femminile	plurale maschile	plurale femminile
io				
tu	il tuo		i tuoi	le tue
lui/lei	il suo			le sue
noi	il nostro	la nostra		le nostre
voi	il vostro		i vostri	le vostre
loro	il loro		i loro	le loro

7d *Lavora con un compagno. Guardate la tabella che avete completato e rispondete alle domande.*

- ▸ Di solito gli aggettivi possessivi hanno l'articolo?
- ▸ Un aggettivo possessivo si comporta in modo diverso dagli altri. Quale?

8 Scrivere | La mia giornata tipo

Scrivi un post sulla tua giornata tipo e partecipa al forum del punto **4a**.

unità 10 | la mia giornata

Completa gli spazi con le parole a destra. Poi confronta con l'indice a pag. 78.

grammatica

I verbi _____

Anche / Neanche

Gli avverbi di frequenza

Gli _____ con i giorni della settimana

I _____

- articoli
- possessivi
- riflessivi

unità 11 | in famiglia

comunicazione

Parlare della propria famiglia
▶ *Abito con mia madre*

Esprimere accordo o disaccordo ▶ *È giusto, Sono d'accordo* | *Non è giusto, Non sono d'accordo*

Fare una proposta e accettare
▶ *Ti va di...* ▶ *Certo*

Incoraggiare ▶ *Dai!*

Introdurre un nuovo discorso
▶ *Senti*

grammatica

Gli aggettivi possessivi e i nomi di parentela

C'è / Ci sono

I numeri dopo 1.000

1 Introduzione

Cosa ti viene in mente quando pensi alla parola "famiglia"? Parla con un gruppo di compagni riguardo agli aspetti positivi e negativi che associate al concetto di famiglia.

2 Ascoltare | Questo è mio fratello   🎵 35

2a *Ascolta il dialogo e indica chi è Sabrina.*

☐ La madre di Sofia.

☐ La nuova compagna del padre di Sofia.

☐ La nonna di Sofia.

2b *Ascolta ancora il dialogo e scegli quali fotografie guardano Sofia e la sua maestra di musica.*

1.

2.

3.

4.

5.

2C *Ascolta il dialogo tutte le volte necessarie e completa l'albero genealogico di Sofia con le informazioni mancanti. Poi indica i personaggi nelle tre foto giuste del punto* **2b***.*

3 Analisi grammaticale | I possessivi e i nomi di parentela

3a *Lavora con un compagno. Guardate l'estratto dal dialogo del punto* **2** *ed elaborate insieme una regola per rispondere alla domanda.*

- ● Questo è mio fratello Alessandro, che però non si riconosce perché qui ha gli occhiali. Questa è Irene e questa è mia madre e questa è mia nonna Luisa.
- ■ E tua nonna quanti anni ha?
- ● Ottantaquattro.
- ■ Sembra molto più giovane! Quindi tu vivi con tua madre?
- ● Sì, abito con mia madre, mia nonna e i miei fratelli, Irene e Alessandro.

▶ Come hai visto nella lezione precedente, di solito gli **aggettivi possessivi** hanno l'articolo determinativo. Davanti a quali parole non si deve mettere l'articolo?

3b *Ora esponete la vostra regola alla classe e discutetene con gli altri studenti e l'insegnante.*

4   Parlare | L'albero genealogico

4a   *Ricostruisci il tuo albero genealogico. Puoi scegliere di ricostruire l'albero vero o un albero immaginario. Aggiungi anche tutti i parenti che mancano.*

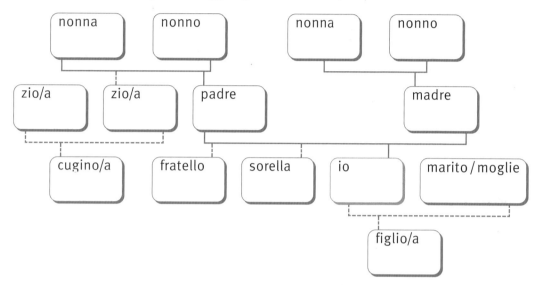

4b   *Lavora con un compagno. Intervistalo e ricostruisci il suo albero genealogico, senza guardare il suo libro. Poi indovina se il suo albero è vero o immaginario. Alla fine scambiatevi i ruoli.*

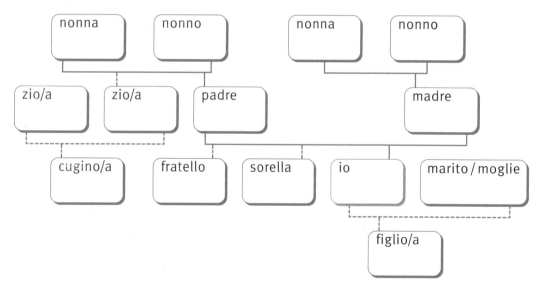

5   Analisi grammaticale | C'è/ci sono

Guarda il dialogo a destra tratto dalla conversazione del punto **2** *e completa la regola con* **c'è** *e* **ci sono** *al posto giusto.*

(c'è)   (ci sono)

Per indicare qualcosa che è in un posto, al singolare uso _____
e al plurale uso _____.

Maestra di musica
Com'è il mare in Puglia?

Sofia
C'è un mare bellissimo, però fa molto caldo.

Maestra di musica
Ah, ci sono anche molti turisti, vero?

Sofia
Eh già.

6 Gioco | C'è / ci sono

6a *Ogni studente dà all'insegnante uno o più oggetti personali (penna, occhiali, orologio, cellulare, ecc.). Con l'aiuto dell'insegnante, la classe ripete e memorizza i nomi degli oggetti.*

6b *La classe si divide in due squadre. L'insegnante mette in un sacchetto alcuni degli oggetti degli studenti. A turno uno studente per squadra cerca di indovinare cosa c'è nel sacchetto, facendo una domanda come nell'esempio a sinistra. Se indovina, la sua squadra conquista l'oggetto. Se sbaglia si va avanti. Vince la squadra che conquista più oggetti. In caso di errore grammaticale la squadra che ha sbagliato deve dare un oggetto conquistato agli avversari. Il gioco può continuare con una seconda partita fino ad esaurimento degli oggetti rimanenti.*

🖉 **Esempio**

● Studente squadra A
C'è la penna?
■ Insegnante
Sì, tieni. / No, non c'è.
◆ Studente squadra B
Ci sono gli occhiali?
■ Insegnante
Sì, tieni. / No, non ci sono.

---

7 **Leggere** | Due lettere

Leggi le due lettere al Direttore e inserisci in ognuna l'espressione giusta.

(È giusto!)   (Non è giusto!)

Gentile Direttore,
sono laureato in economia, ho una specializzazione, due master e circa venti pubblicazioni internazionali. Ma invece di lavorare all'Università come professore, faccio il cameriere in un ristorante. Dei 60.251 professori universitari del nostro Paese, 30.000 hanno più di 60 anni e gli altri sono i loro figli, le loro nipoti, i loro amici, le loro amanti e segretarie! E io non sono figlio, nipote, amico di nessun professore. Nelle università italiane circa il 30% dei professori ha il cognome uguale a quello di un altro professore. Solo in Italia, dove la famiglia è sacra e intoccabile, può succedere una cosa come questa. _____
La ringrazio per l'attenzione.

Giovanni Sarti

(Sono d'accordo.)   (Non sono d'accordo.)

Gentile Direttore,
vorrei rispondere alla lettera di Giovanni Sarti. Caro Giovanni, tu dici che in Italia la famiglia ha troppa importanza.
_____
Io vivo e lavoro negli USA e quando torno in Italia sono felicissima di rivedere i miei tanti parenti: mia madre, mio padre, i miei fratelli, i nonni, gli zii, i nipoti e i cugini. A Natale ci ritroviamo tutti nella grande casa di mio nonno a Todi e stiamo tutti insieme. Il tuo problema, caro Giovanni, non è la famiglia ma la disonestà degli altri. "Famiglia" invece significa solidarietà, amore e, per me, festa!

Laura Cangiani

E tu con chi sei d'accordo?
☐ Con Giovanni.   ☐ Con Laura.   ☐ Con nessuno dei due.

8   Analisi grammaticale | I numeri dopo 1000

*Guarda questa frase estratta dal testo del punto **7**. Prova a scrivere a lettere i numeri. Aiutati con il riquadro* I numeri dopo 1000.

> Dei **60.251** docenti universitari del nostro Paese, **30.000** hanno più di 60 anni

---

I numeri dopo 1000

cifra	miliardi	milioni	migliaia	centinaia / decine / unità
1.001			mille	uno
1.005			mille	cinque
1.110			mille	centodieci
2.930			duemila	novecentotrenta
9.000			novemila	
24.312			ventiquattromila	trecentododici
100.000			centomila	
170.000			centosettantamila	
1.000.000		un milione		
6.550.321		sei milioni	cinquecentocinquantamila	trecentoventuno
400.300.000		quattrocento milioni	trecentomila	
1.000.000.000	un miliardo			

---

9   Gioco | I numeri umani

Dividetevi in squadre composte da tre studenti. Ogni squadra deve scrivere nel più breve tempo possibile e nel giusto ordine le cifre di un numero pronunciato dall'insegnante. All'interno di ogni squadra il primo studente deve scrivere chiaramente su un foglio i milioni, il secondo le migliaia e il terzo le centinaia, le decine e le unità, come nel disegno di esempio. Quando una squadra pensa di aver scritto il numero in modo corretto deve sedersi sulle sedie poste al centro dell'aula. Se il numero è esatto la squadra prende un punto, altrimenti perde un punto. Se il numero non è esatto un'altra squadra può provare a dare la soluzione.

TRECENTOQUARANTAQUATTRO MILIONI, OTTANTANOVEMILA, DUECENTOVENTUNO.

Mamma e papà

I figli chiamano la madre mamma e il padre papà (o babbo in alcune zone dell'Italia centrale, soprattutto in Toscana).

Attenzione:
prima del possessivo + "mamma" o "papà" si deve usare l'articolo
▸ la mia mamma
▸ il mio papà

Dalla parola "mamma" derivano molte espressioni. Per esempio:
● mamma mia! (per indicare sorpresa, paura o reagire a qualcosa di negativo)
● mammone (per indicare un ragazzo che rimane a vivere con i genitori anche da adulto e ha difficoltà a separarsi dalla famiglia)

10   Analisi della conversazione | Dai!

 36

10a *Completa il dialogo con le espressioni della lista. Poi ascolta e verifica.*

(certo)   (dai)   (senti)   (ti va di)

● _____ , facciamo una pausa, _____!
■ Ok, _____ vedere le foto delle mie vacanze?
● Sì, _____ , molto volentieri.

10b *Scrivi ognuna delle espressioni del punto* **10a** *negli spazi, accanto alla funzione corrispondente.*

> Si usa per:
> accettare con entusiasmo   _____
> fare una proposta   _____
> introdurre un nuovo discorso   _____
> stimolare, incoraggiare   _____

11   Parlare | Mio nonno...
Scegli un personaggio della tua famiglia per te particolarmente importante e parlane ad un compagno.

unità 11 | in famiglia

Collega i due esempi di destra a due contenuti di comunicazione a sinistra. Poi confronta con l'indice a pag. 84.

comunicazione

Parlare della propria famiglia ▸

Esprimere accordo o disaccordo ▸

Fare una proposta e accettare ▸ *Ti va di...* ▸ *Certo*   ? ←

Incoraggiare ▸ *Dai!*

Introdurre un nuovo discorso ▸ *Senti*

È giusto, Sono d'accordo, Non è giusto, Non sono d'accordo
?

Abito con mia madre

ROMA, PIAZZA DEL POPOLO. ANNA SEGUE IL VECCHIO PER CERCARE LO SPECCHIO DI ROMA. MA QUALCUNO SEGUE ANNA...

PIAZZA DI SPAGNA. A ROMA CONTINUANO DISTRUZIONI E RAPINE.

VECCHIO, MA DOVE ANDIAMO?

LO SPECCHIO... LA SOLUZIONE... LO SPECCHIO... L'ALBERGO...

MA CERTO! LO SPECCHIO DELL'ALBERGO ROMA! ORA CAPISCO!

ALBERGO ROMA

ANDIAMO FIDUS. CORRIAMO!

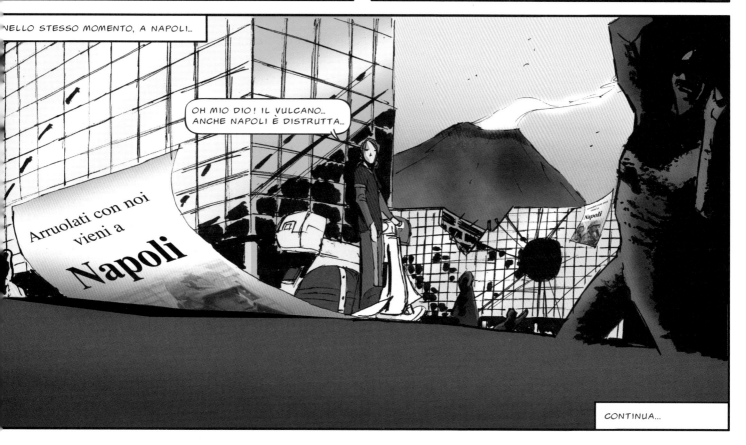

1 I suoni [ʎ] e [ɲ]

1a *Ascolta e segna quale suono senti per ogni parola.* 🎵 | DVD 37
Segui gli esempi.

	1.	2.	3.	4.	5.	6.	7.	8.	9.	10.	11.	12.
[ʎ]	☒	☐	☐	☐	☐	☐	☐	☐	☐	☐	☐	☐
[ɲ]	☐	☒	☐	☐	☐	☐	☐	☐	☐	☐	☐	☐

1b *Ascolta e completa le parole con gn, gl, l o n.* 🎵 | DVD 38

1. Allora si___ori, oggi abbiamo ___occhi al pomodoro o spaghetti a ___io e o ___io.
2. Con questo freddo è consi ___iabile mettersi una ma ___ia di lana.
3. Giu ___iano è un ma ___iaco del poker.
4. A ___ese non ha sentito la sve ___ia e ha fatto tardi a scuola.
5. A ___i ultimi mondiali di calcio hanno assistito mi ___ioni di persone.
6. Il fiume A ___iene ba ___a Roma.
7. Vorrei un bi ___ietto per Bolo ___a.

1c *Ora prova a pronunciare questi scioglilingua. Poi ascolta e verifica.* 🎵 | DVD 39
Esercitati tutte le volte che lo ritieni necessario.

1.
Se il coniglio gli agli ti piglia, togligli gli agli e tagliagli gli artigli.

2.
Sogno uno gnomo e un ragno fare il bagno con un cigno nello stagno.

2 Le doppie

2a *Ascolta e completa le parole con una o due lettere.* 🎵 | DVD 40

1. Questo ri ___otto non è a ___astanza sa ___orito.
   A mio a ___iso bisognere ___e a ___iungere un po' di za ___erano.
2. Ni ___olò Amma ___iti come scri ___ore mi fa impa ___ire, sono una sua fe ___ele a ___iratrice.
3. È un a ___ile poli ___ico. Con la sua so ___ile diale ___ica è stato capa ___e di sedu ___e
   la ma ___ioranza della popola ___ione.

2b *Ascolta e scrivi il testo del telegramma.* 🎵 | DVD 41

_____
_____
_____
_____
_____

modulo cinque | **geografia**

unità 12   in treno o in macchina?

unità 13   c'è anche questo

comunicazione

Chiedere e dare semplici informazioni stradali
▸ *Come ci arrivo?* ▸ *Arrivi alla stazione,
Vai sempre dritta*

Chiedere e indicare la durata di un percorso
▸ *Quanto tempo ci vuole?* ▸ *Sono 10 minuti...*

Dare ed eseguire istruzioni ▸ *Prendi il taxi,
Non andare dritto*

Chiedere e dire l'indirizzo
▸ *Tu dove abiti?* ▸ *Io abito...*

Esprimere sorpresa ▸ *Caspita!*

Sottolineare una risposta
▸ *Certo che...*

Cambiare discorso ▸ *Piuttosto...*

grammatica

I numeri ordinali

Stare + gerundio

Il pronome di luogo *ci*

Gli avverbi di luogo

L'imperativo informale
affermativo e negativo

I pronomi dimostrativi
questo e *quello*

I pronomi diretti
lo, la, li, le

comunicazione

Chiedere e dare semplici informazioni stradali
▸ *Come ci arrivo?*
▸ *Arrivi alla stazione,* *Vai sempre dritta*

Chiedere e indicare la durata di un percorso ▸ *Quanto tempo ci vuole?* ▸ *Sono 10 minuti...*

grammatica

I numeri ordinali

Stare + gerundio

Il pronome di luogo *ci*

Gli avverbi di luogo

1 Introduzione

✷ Studente A (Le istruzioni per lo **Studente B** sono a pag. 143)

Gioca con un compagno. Ognuno di voi due ha una lista con 8 nomi di luoghi italiani: 4 sono isole. Scegli un nome dalla tua lista e fai la domanda come nell'esempio. Se è un'isola guadagni un punto. Poi rispondi alla domanda del compagno guardando sulla tua cartina.
Vince chi indovina per primo i nomi delle 4 isole.

🖉 **Esempio**

Studente A _____
è un'isola?
Studente B Sì, è un'isola. / No, non è un'isola.

Studente A

Capri

Genova

L'Aquila

la Maddalena

Pantelleria

Perugia

la Puglia

la Sicilia

2 Ascoltare | In treno o in macchina?

2a *Ascolta e scegli il disegno che meglio rappresenta la conversazione.* 42

2b *Ascolta la conversazione e metti in ordine i "mezzi" che Mariana probabilmente utilizzerà per arrivare a Capri, come nell'esempio.* 43

Mariana va:

I trasporti

L'Italia è il Paese europeo con il più alto numero di automobili a persona: una ogni due abitanti. Per questo la situazione del traffico, soprattutto nelle città, è molto difficile. Nel centro sud sono molto usati scooter e motorini, mentre al nord, e soprattutto nella pianura padana, si usa molto la bicicletta. Solo in alcune città (Roma, Milano, Napoli, Genova, Catania, Torino, Perugia) c'è la metropolitana.

in aereo _____ in aliscafo _____ in autobus _____ in macchina __1__

in metro _____ a piedi _____ in tram _____ in treno _____

2c *Ascolta ancora il dialogo e segna a chi si riferiscono le informazioni,* 43
come nell'esempio.

	Rita	Mariana	Nessuno
1. È in macchina	☐	☒	☐
2. È in treno	☐	☐	☐
3. Sta mangiando	☐	☐	☐
4. Sta parlando al telefono	☐	☐	☐
5. È a Napoli	☐	☐	☐
6. È a Capri	☐	☐	☐
7. È a Perugia	☐	☐	☐
8. Dice che piove	☐	☐	☐
9. Dice che c'è il sole	☐	☐	☐
10. Vuole incontrare l'amica	☐	☐	☐
11. Ha una casa a Capri	☐	☐	☐
12. Non conosce bene Napoli	☐	☐	☐
13. Propone di prendere la metro	☐	☐	☐
14. Non vuole pagare il biglietto dell'aliscafo	☐	☐	☐
15. Propone di andare a Napoli in macchina	☐	☐	☐
16. Non vuole andare a Napoli in macchina	☐	☐	☐
17. Dice che non ama come guidano i napoletani	☐	☐	☐
18. Dice che non ama chi non rispetta le regole	☐	☐	☐
19. Parla con un amico	☐	☐	☐
20. Non rispetta le regole della guida	☐	☐	☐

I numeri ordinali

Osserva:
▶ *Devi scendere alla **seconda** (fermata).*

Completa la lista degli ordinali.

1	primo
2	secondo
3	terzo
4	quarto
5	quinto
6	sesto
7	settimo
8	ottavo
9	nono
10	decimo
11	undicesimo
12	dodicesimo
13	tredicesimo
14	quattordic_____
15	quindic_____
16	sedicesimo
17	diciassettesimo
18	diciottesimo
19	diciannovesimo
20	ventesimo
30	_____
100	_____
1000	millesimo

2d *Perché il vigile vuole fare la multa a Mariana? Se necessario riascolta* 44
l'ultima parte del dialogo.

Perché

1. ☐ passa col rosso.   2. ☐ va troppo veloce.   3. ☐ non si ferma allo stop.

4. ☐ parla al telefono.   5. ☐ non ha la cintura.   6. ☐ parcheggia in divieto di sosta.

3 Analisi grammaticale | *Stare* + gerundio

3a *Ricomponi le frasi del dialogo, come nell'esempio. Poi ascolta e verifica.* 45

Aspetta un attimo, sto	*andando alla stazione.*
Qui a Perugia sta	guidando.
In questo momento sto	mangiando di fronte al mare.
Io sto	parlando?
Che sta	piovendo.
Con chi stai	succedendo?

3b *Scegli la risposta giusta.*

> Osserva. Nelle frasi del punto **3a** il verbo *stare* è sempre seguito da un altro verbo. Questo secondo verbo è un "gerundio". Qual è il significato della costruzione *stare* + gerundio?
>
> Indica un'azione che accade: ☐ prima ⬅   ☐ ora ⬇   ☐ dopo ➡

3c *Leggi la regola e completa la tabella.*

> Per esprimere un'azione che accade "in questo momento" si può usare la costruzione *stare* + gerundio.

> ✎ **Esempi**
> - Che (tu) stai facendo?
> - Che sta facendo?
> - Che (voi) state facendo?
> - (io) Sto guardando la tv.
> - Aldo? Sta lavorando.
> - (noi) Stiamo andando al cinema.

	stare	gerundio
io	sto	verbi in *-are* studiare ▸ studi_____
tu	stai	
lui/lei	sta	verbi in *-ere* leggere ▸ legg_____
noi	stiamo	
voi	state	verbi in *-ire* dormire ▸ dorm*endo*_____
loro	stanno	

4 Gioco | Tris

*Gioca a tris con un compagno (usate un solo libro). Scegli una casella nello schema dei **verbi**, poi decidi un **soggetto** e un **oggetto** e costruisci la frase coniugando il **verbo** della casella alla forma progressiva, come nell'esempio. Puoi aggiungere gli elementi che vuoi (preposizioni, articoli, nomi, aggettivi, verbi, ecc). Se la frase è accettata dal tuo compagno occupi la casella. Poi il turno passa al compagno. Vince chi per primo fa tris. Attenzione: i soggetti e gli oggetti scelti per comporre una frase corretta non potranno più essere utilizzati.*

✎ **Esempio**

Soggetto Marta   Verbo andare   Oggetto scuola

Marta sta andando a scuola

Marta sta andando a prendere i bambini a scuola

Marta sta andando a vedere la sua nuova scuola

Soggetti	Oggetti
Io	casa
Voi	treno
Mio padre	Italia
I miei amici	ristorante
Rita e Mariana	libri
Rita	pizza
Tu e le tue amiche	film
Tu	Capri
Io e Paolo	aereo

Verbi

andare	finire	comprare
vedere	pulire	leggere
mangiare	prendere	salire

5 Parlare I Cartelli stradali

Guarda questi cartelli. Quale ti sembra più strano? Parlane con un compagno.

6 Scrivere I Cartelli stradali

In gruppo, provate a scrivere delle indicazioni per questi cartelli.

7 **Ascoltare** | Sempre dritta 46

Ascolta e segna sulla cartina il percorso indicato da Rita.

Quanto tempo ci vuole?

Osserva:

- Quanto tempo ci vuole?
- Sono 10 minuti a piedi. /
- In 40 minuti arrivi a Capri.

Il pronome di luogo *ci*

Ci è un pronome. Si usa per non ripetere il nome di un luogo detto prima.

Secondo te a cosa si riferisce il pronome *ci* nella frase

e come *ci* arrivo?

a. ☐ alla Stazione Centrale
b. ☐ al Molo Beverello
c. ☐ alla metro

arrivi

metro

a piedi

tram

piazza

scendi

stazione

sempre dritta

arrivi all'incrocio

a destra

vai verso

fermata della metro

vai a sinistra

strada

alla seconda

verso

continui dritta

8 Analisi lessicale | Indicazioni stradali 47

Completa il dialogo con le espressioni della lista, come nell'esempio. Aiutati con i disegni e con la cartina. Poi ascolta e verifica.

Rita   Sì, dunque ___arrivi___ alla Stazione Centrale, devi andare al Molo Beverello, a prendere l'aliscafo.

Mariana   Ah, e come ci arrivo?

Rita   Prendi o il _____ o la _____. Meglio la metro perché è più facile. La prendi dalla... direttamente dalla _____.

Mariana   Ah bene, che linea?

Rita   Eehhh... linea due. Devi scendere _____.

Mariana   Alla seconda. Ok, va bene. Quindi... Ah va be' due fermate e poi sono arrivata...

Rita   Due fermate, sì. Direzione Pozzuoli, eh? No, non sei arrivata. C'è un altro pezzetto _____ da fare. Praticamente tu _____ in via Montesanto...

Mariana   Che è la _____.

Rita   Esatto. E devi andare _____ via Toledo. Superi via Toledo e vai _____ ... e vedi una grande _____: via Sant'Anna e qualcosa... poi da lì vai _____.

Mariana   Ok.

Rita   ... e ad un certo punto diventa via Monteoliveto.

Mariana   Sempre dritta, ok.

Rita   Esatto. Prosegui, _____, lo superi e _____. Ok?

Mariana   Ok.

Rita   Alla fine della via _____ e... c'è piazza Municipio, bene?

Mariana   Va bene.

Rita   Superi la piazza e _____ il mare, proprio lo vedi perché... lo puoi vedere da lì.

Mariana   Va bene.

Rita   Ok. Una volta che sei lì dopo cento metri arrivi ad un'altra_____, dove c'è la biglietteria per l'aliscafo.

Mariana   Oddio, mi sembra complicatissimo!

Rita   Ma no, sono dieci minuti.

9 Esercizio | Gli avverbi di luogo

Dove si trova il bambino rispetto al papà? Inserisci le parole della lista negli spazi, come negli esempi.

 (accanto)   (davanti)   (dietro)   (di fronte)   (sopra)   (sotto)   (vicino)

di fronte   accanto

10 Gioco | Il prigioniero

Gioca con un compagno, contro altri due studenti. In ogni coppia c'è un prigioniero e un compagno che deve liberarlo. Una coppia indica sulla mappa di pag. 103 al prigioniero dell'altra coppia qual è la sua prigione e al liberatore il suo punto di partenza. Prigioniero e liberatore si mettono faccia a faccia. Il prigioniero deve indicare al liberatore la strada per raggiungere la prigione e per salvarlo seguendo l'esempio. Prigioniero e liberatore possono aiutarsi con le espressioni della lista. Ma attenzione: il prigioniero non può pronunciare nessuno dei nomi dei luoghi indicati sulla mappa (per esempio: farmacia, chiesa, ecc.). La coppia avversaria controlla: ogni volta che il prigioniero pronuncia uno dei nomi dei luoghi segnati sulla mappa, il liberatore deve tornare ad un nuovo punto di partenza, comunicato dalla coppia avversaria. La coppia avversaria inoltre cronometra il tempo del salvataggio. Quando il liberatore dice il nome della prigione si interrompe il tempo e il turno passa all'altra coppia. Vince la coppia che impiega meno tempo.

unità **12** | **in treno o in macchina?**

Cosa hai studiato di comunicazione in questa unità? Elimina i due contenuti che non hai ancora studiato. Verranno presentati nella prossima unità.

comunicazione

☐ Chiedere e dare semplici informazioni stradali ▸ *Come ci arrivo?* ▸ *Arrivi alla stazione, Vai sempre dritta*

☐ Chiedere e dire l'indirizzo ▸ *Tu dove abiti?* ▸ *Io abito…*

☐ Chiedere e indicare la durata di un percorso ▸ *Quanto tempo ci vuole?* ▸ *Sono 10 minuti…*

☐ Dare ed eseguire istruzioni ▸ *Prendi il taxi, Non andare dritto*

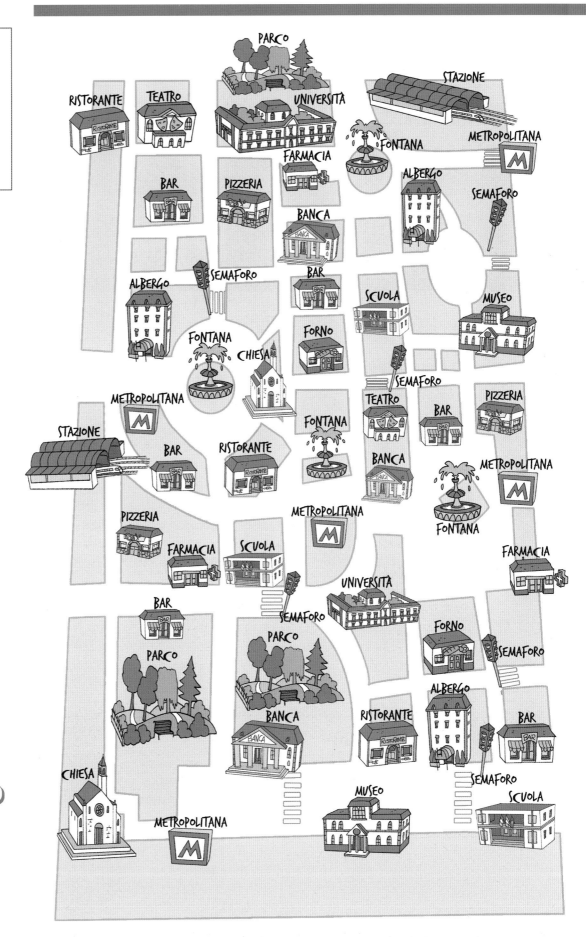

✏ **Esempio**

● Dove sei?
■ Sono vicino alla farmacia / al museo.
● Quale?
■ Quella / Quello davanti alla banca / al ristorante.
● Allora vai dritto, giri alla seconda a destra...

dietro

all'incrocio

dritto / a

arrivi

vai

superi

verso

davanti / di fronte

strada / via

a destra

continui / prosegui

piazza

a sinistra

giri

scendi

sopra

alla prima / alla seconda

sempre dritto / a

accanto / vicino

sotto

comunicazione

Dare ed eseguire istruzioni
▶ *Prendi il taxi, Non andare dritto*

Chiedere e dire l'indirizzo
▶ *Tu dove abiti?* ▶ *Io abito...*

Esprimere sorpresa ▶ *Caspita!*

Sottolineare una risposta
▶ *Certo che...*

Cambiare discorso
▶ *Piuttosto...*

grammatica

L'imperativo informale affermativo e negativo

I pronomi dimostrativi *questo* e *quello*

I pronomi diretti *lo, la, li, le*

1   Leggere | Consigli per turisti

1a   *Completa la risposta con i titoli dei paragrafi, come nell'esempio.*

Domanda risolta

YAHOO! ANSWERS
ITALIA

Vorrei andare qualche giorno a Firenze ma non mi piace vivere le città in modo troppo turistico. Ci sono fiorentini che mi possono dare qualche consiglio?

Roberto   6 ore fa

Miglior risposta – Scelta dal Richiedente

Gino A.

Firenze è una città bellissima. Ma è anche una città difficile. Ecco qualche consiglio da un fiorentino DOC!

I fiorentini – A Firenze la gente è simpatica, ma i fiorentini non sono sempre così aperti come si crede.

_____ – È sempre pieno di turisti. Guarda i musei e le piazze famose, ma gira anche per la città e cerca qualche stradina e qualche piazza frequentata solamente da fiorentini...

_____ – Il clima è terribile, sul serio. D'estate è caldissimo e d'inverno si muore di freddo. Parti con i vestiti adatti alla stagione.

_____ – Il costo della vita in centro è altissimo e in periferia è molto più basso. Se vuoi risparmiare, trova un albergo fuori dalla zona del centro.

_____ – Firenze è una città abbastanza sicura, ma naturalmente non mancano i borseggiatori. Porta con te solo i soldi necessari e non mettere il portafogli nei pantaloni, soprattutto se prendi l'autobus.

_____ – Non dimenticare di fare la spesa perché la sera i negozi chiudono alle 8:00.

_____ – Anche se i ristoratori fiorentini generalmente sono onesti, chiedi sempre la ricevuta e controlla il conto. Mi raccomando: ordina il piatto del giorno e non andare nei locali per turisti.

_____ – A Firenze c'è un po' di tutto: discoteche, pub, locali romantici, ristoranti. Vai in internet e cerca il locale migliore su *firenzenotte.it*.

_____ – In caso di furto o rapina, chiama il 113 (polizia) o 112 (carabinieri). A questi numeri puoi richiedere anche un'ambulanza. In caso di incendio telefona al 115.

_____ – Se possibile compra i biglietti on line così non devi fare la fila.

In bocca al lupo.

~~I fiorentini~~

Il clima

Sicurezza

Musei e monumenti

Il centro storico

Negozi

Dove mangiare

Prezzi

Numeri utili

La sera

1b *Quali consigli ti sembrano più interessanti e perché?*
C'è qualcosa che ti sorprende? Parlane con un compagno.

2 **Analisi grammaticale** | L'imperativo

2a *Sottolinea nel testo del punto **1** i consigli di Roberto e scrivi nella tabella*
i verbi usati per consigliare, come nell'esempio.

sì
guarda

no
non mettere

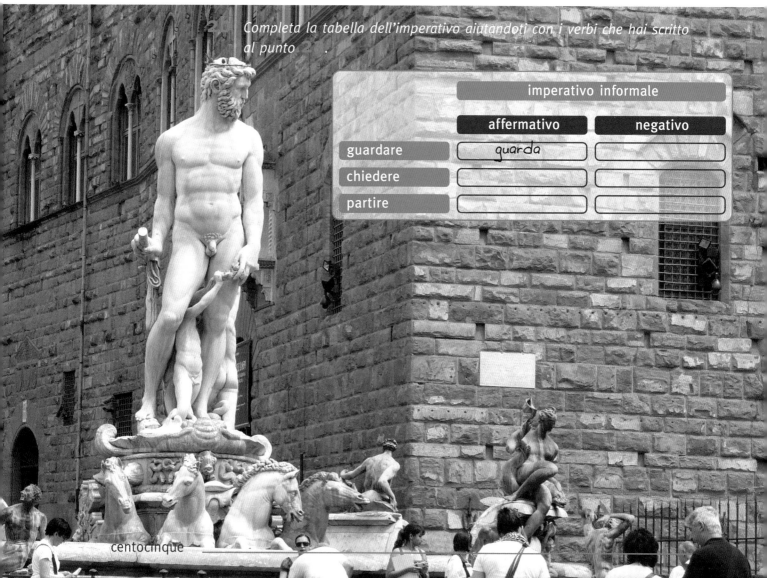

Completa la tabella dell'imperativo aiutandoti con i verbi che hai scritto
al punto   .

	imperativo informale	
	affermativo	negativo
guardare	guarda	
chiedere		
partire		

3 Gioco | Il ballo dell'imperativo

 48

cantare saltare

battere le mani volare

ballare scendere

aprire la finestra

alzare le braccia

chiudere gli occhi

correre pulire

cucinare ridere

dormire salire

mangiare la mela

nuotare scrivere

piangere salutare

3a *Lavora con un compagno. Guardate la lista dei verbi a destra e coniugateli oralmente all'imperativo affermativo e negativo. Per ogni verbo pensate anche ad un modo per mimarlo.*

3b *Mima con tutta la classe i verbi all'imperativo che pronuncia l'insegnante. Cerca di seguire il tempo musicale!*

3c *Formate due squadre. Con in sottofondo la base musicale, a turno uno studente per squadra sceglie un verbo della lista, va al centro e lo coniuga prima all'imperativo affermativo e poi al negativo, mimando l'azione. Tutta la classe ripete l'azione, seguendo il comando del compagno. Lo studente successivo dell'altra squadra deve ripetere ogni volta tutte le frasi dette dal compagno precedente e mimare tutte le azioni, dando gli ordini alla classe, come nell'esempio. Quando lo studente di una squadra sbaglia la coniugazione di un verbo, o ripete in modo scorretto la lista delle azioni precedenti, l'altra squadra guadagna un punto. Vince la squadra che alla fine della musica ha realizzato più punti. Attenzione: i verbi della lista usati in modo corretto non possono essere scelti più di una volta.*

✏️ Esempi

1. Primo studente / squadra A **leggere**

Leggi! (mima l'azione di leggere)
Non leggere (interrompe l'azione di leggere)

2. Primo studente / squadra B **telefonare**

Leggi! (mima l'azione di leggere)
Non leggere (interrompe l'azione di leggere)

Telefona! (mima l'azione di telefonare)
Non telefonare (interrompe l'azione di telefonare)

3. Secondo studente / squadra A **disegnare**

Leggi! (mima l'azione di leggere)
Non leggere (interrompe l'azione di leggere)

Telefona! (mima l'azione di telefonare)
Non telefonare (interrompe l'azione di telefonare)

Disegna! (mima l'azione di disegnare)
Non disegnare (interrompe l'azione di disegnare)

...

4 Scrivere | Domande e risposte

4a *Cosa vorresti sapere dell'Italia? Prendi un foglio e scrivi una domanda da mandare a* **Yahoo! Answers.**

4b *Prendi una domanda a caso tra quelle dei tuoi compagni e scrivi una risposta. Se non la conosci usa la fantasia.*

5 **Leggere** | Tre percorsi

Leggi i tre SMS *a sinistra, guarda la mappa e segna i tre percorsi per arrivare a via del Palazzo Bruciato 8.*

1

Io abito in via del Palazzo Bruciato 8. Dalla stazione prendi il taxi! A quell'ora la strada migliore è via Valfonda, girare a destra per viale Strozzi e dritto in via dello Statuto. Dopo la ferrovia girare a sinistra verso via Milanesi. All'incrocio con via Neri c'è un semaforo: io sto 50 metri dopo sulla destra. Il frigorifero è pieno, mangia, bevi e prendi tutto quello che vuoi. Chiamami quando arrivi. Baci.

2

Io abito in via del Palazzo Bruciato 8. Dalla stazione prendi il taxi! A quell'ora c'è molto traffico, devi dire al tassista che da viale Strozzi non deve andare dritto in via dello Statuto ma subito dopo deve prendere a sinistra per via Spadolini e poi tornare a destra in via del Romito. Poi sempre dritto fino a via Neri. Il frigorifero è pieno, mangia, bevi e prendi tutto quello che vuoi. Chiamami quando arrivi. Baci.

3

Io abito in via del Palazzo Bruciato 8. Dalla stazione prendi il taxi! Se c'è traffico la strada migliore è: prendere viale Strozzi, andare a sinistra per via Spadolini e poi via del Romito. Da lì girare a destra e prendere via dello Statuto. È molto facile. Il frigorifero è pieno, mangia, bevi e prendi tutto quello che vuoi. Chiamami quando arrivi. Baci.

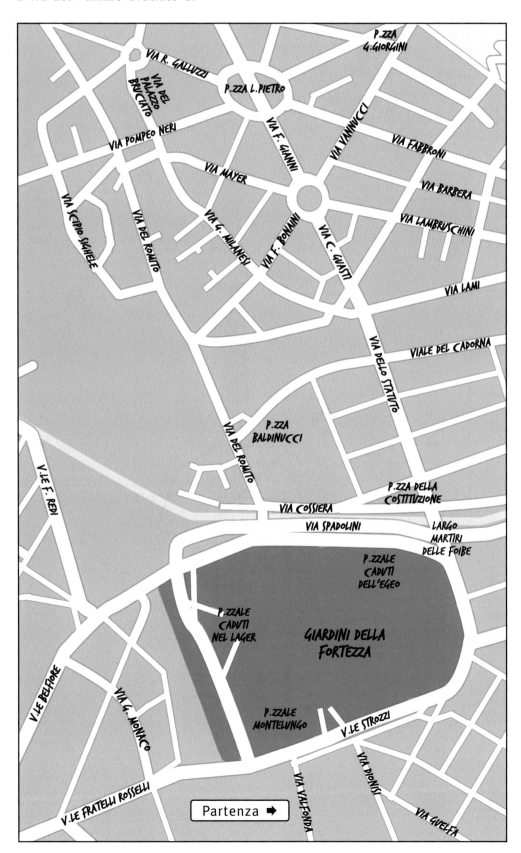

6 Ascoltare | C'è anche questo 49

6a *Ascolta il dialogo. Quale dei tre SMS del punto 5 ha ricevuto Stefano?*

6b *Cosa porta secondo te Stefano? Parlane con un compagno.*
Se necessario riascolta il dialogo.

7 Analisi grammaticale | Questo, quello 50

7a *Ascolta e metti nel giusto ordine le battute del dialogo unendo progressivamente i punti. Otterrai il disegno dell'oggetto che porta Stefano.*

7b *Scrivi le lettere evidenziate nel giusto ordine e ricostruisci il nome dell'oggetto che porta Stefano.*

(C) ( ) ( ) ( ) ( ) ( ) (B) ( ) ( ) ( ) ( ) ( )

Via, viale, piazza...

In Italia le strade hanno molti nomi. Il più usato è via (via del Palazzo bruciato), ma una strada grande può essere un viale e una molto stretta può essere un vicolo. In alcune città poi le strade hanno nomi caratteristici. A Venezia la via si chiama calle mentre la piazza si chiama campo.

Chiedere e dire l'indirizzo

Per chiedere l'indirizzo si usa la formula ▸ *Tu dove abiti?*

Per dire l'indirizzo di solito si usa il nome della strada (o piazza) seguito dal numero civico ▸ *Io abito in via del Palazzo Bruciato 8.*

Gira per la classe e chiedi agli altri studenti dove abitano.

7c *Stefano e il tassista parlano del contrabbasso usando i pronomi dimostrativi* **questo** *e* **quello**. *Scegli il disegno con la posizione giusta del contrabbasso. Se necessario ascolta ancora il brano audio.*

---

pronomi dimostrativi

questo

	singolare	plurale
maschile	questo	questi
femminile	questa	queste

quello

	singolare	plurale
maschile	quello	quelli
femminile	quella	quelle

7d *Completa la regola d'uso dei pronomi dimostrativi inserendo le parole* questo *e* quello.

Il pronome dimostrativo _____
si usa quando l'oggetto è vicino alla persona che parla.

Il pronome dimostrativo _____
si usa quando l'oggetto è lontano dalla persona che parla.

8 Analisi grammaticale | I pronomi diretti

8a *Guarda la trascrizione. Le parole* <u>evidenziate</u> *sono pronomi e servono per non ripetere una parola detta in precedenza. Indica a cosa si riferiscono, come nell'esempio.*

Stefano   Buongiorno, è libero?

Tassista   Buongiorno, sì sì, prego.

Stefano   Guardi, ho le ⟨valigie.⟩ ◄─────

Tassista   Sì. <u>Le</u> mettiamo nel portabagagli.

Stefano   Sì. Eh... aspetti un momento. Non è tutto. C'è anche questo.

Tassista   Quello? Quello... dove <u>lo</u> mettiamo, scusi?

Stefano   Guardi, proviamo dietro, insieme alle valigie.

Tassista   No. Guardi, è sicuramente troppo grande. Non entra.

...

Stefano   Guardi, l'indirizzo è: via del Palazzo Bruciato 8. <u>La</u> conosce?

Tassista   Certo che <u>la</u> conosco! Senta, conviene che andiamo di qua, facciamo prima.

---

pronomi diretti

	singolare	plurale
maschile	_____	li
femminile	_____	_____

8b *I pronomi* <u>evidenziati</u> *sono* **pronomi diretti.** *Inseriscili nello schema a sinistra.*

9 Gioco | Gli oggetti animati

Dividetevi in due squadre. Ogni studente sceglie all'interno della lista un oggetto e lo scrive in STAMPATELLO su un foglio, senza mostrarlo alla squadra avversaria. Due studenti della prima squadra vanno davanti alla classe per recitare il dialogo qui accanto. Uno studente della seconda squadra, mostrando il foglio con la scritta dell'oggetto scelto, si posiziona vicino ad uno dei due personaggi o lontano da entrambi. A quel punto la coppia deve recitare il dialogo modificando tutti gli elementi necessari, come nell'esempio. Ad ogni errore la squadra perde un punto. Vince la squadra che alla fine del gioco ha commesso meno errori.

✏️ **Esempio**

Dialogo originale:

Il contrabbasso (vicino a Stefano)

Stefano Aspetti un momento. Non è tutto. C'è anche **questo**.

Tassista **Quello**? **Quello**... dove **lo** mettiamo, scusi?

Stefano Guardi, proviamo dietro, insieme alle valigie.

Tassista No. Guardi, **è** sicuramente troppo **grande**. Non **entra**.

Testo modificato:

Le racchette da tennis (vicino al tassista)

Stefano Aspetti un momento. Non è tutto. **Ci sono** anche **quelle**.

Tassista **Queste**? **Queste**... dove **le** mettiamo, scusi?

Stefano Guardi, proviamo dietro, insieme alle valigie.

Tassista No. Guardi, **sono** sicuramente troppo **grandi**. Non **entrano**.

i sacchi

il computer

la televisione

i libri

il quadro

lo scatolone

la sedia

il tavolo

la statua

le borse

l'albero di Natale

lo specchio

la chitarra

i giocattoli

la bicicletta

i vasi

i quadri

le sedie

le scatole

i tamburi

la gabbia

le piante

le lampade

il ventilatore

gli sci

10 Analisi della conversazione | Caspita!   51

10a *Completa il dialogo con le espressioni della lista. Poi ascolta e verifica.*

(certo che)   (caspita!)   (guardi)   (senta)   (piuttosto)

Tassista _____, lo sa che c'è la tariffa extra per il bagaglio?

Stefano Ah sì? E quant'è?

Tassista Eh… dieci euro.

Stefano _____ Dieci euro.

Tassista Senta, _____, dov'è che La porto?

Stefano _____, l'indirizzo è: via del Palazzo Bruciato 8. La conosce?

Tassista _____ la conosco!

10b *Scrivi le espressioni del punto* **10a**, *accanto alla funzione corrispondente.*
Attenzione: una delle funzioni corrisponde a due espressioni.

Si usa per:

esprimere sorpresa   _____

sottolineare una risposta   _____

richiedere attenzione   _____

cambiare discorso   _____

11 Parlare | L'ospite

Lavora con un compagno e dividetevi i ruoli.

Padrone di casa Lasci la tua casa a un amico per qualche giorno. Il tuo amico non conosce la città. Chiedigli se viene in treno, in macchina o in aereo e spiegagli come deve fare per arrivare a casa tua. Dagli tutte le informazioni su come deve comportarsi quando sarà da solo (cibo, pulizie, piante, ecc.).

Ospite Un amico ti lascia la sua casa per qualche giorno. Tu non conosci la città. Decidi se vai in treno, in macchina o in aereo e chiedigli come devi fare per arrivare a casa sua. Chiedigli tutte le informazioni su come devi comportarti quando sarai da solo (cibo, pulizie, piante, ecc.).

unità 13 | c'è anche questo

Cosa hai studiato di comunicazione in questa unità? Completa gli spazi con le parole di destra, come nell'esempio. Poi confronta con l'indice a pag. 104.

comunicazione

Dare ed eseguire _____
▶ *Prendi il taxi, Non andare dritto*

Chiedere e dire _____
▶ *Tu dove abiti?* ▶ *Io abito…*

Esprimere ___sorpresa___ ▶ *Caspita!*

Sottolineare _____ ▶ *Certo che…*

Cambiare _____ ▶ *Piuttosto…*

(discorso)

(una risposta)

(istruzioni)

(sorpresa) ~~sorpresa~~

(l'indirizzo)

NOOO! NON MI LASCIARE ADESSO!

ROMA, TRE ORE DOPO...

FIDUS! COSA FAI QUI? E ANNA?

DUE ORE DOPO, A PIAZZA NAVONA, BRUNO INCONTRA FIDUS.

ROMA, CIRCO MASSIMO. VENTI MINUTI DOPO.
I VENEZIANI HANNO LO SPECCHIO E ANNA È PRIGIONIERA.

BRAVO FIDUS!

MA ANCHE I ROMANI VOGLIONO LO SPECCHIO...

PRENDETE LO SPECCHIO!

ADESSO QUESTA È MIA!

SALTA SU, SVELTA!

GRAZIE. ORA SIAMO PARI. MA TU COSA FAI QUI? NON SEI ANDATO A NAPOLI?

SÌ, A NAPOLI HO CAPITO TUTTO. E ORA HO LA SOLUZIONE!

CONTINUA...

1 **I suoni** [v] **e** [b], [p] **e** [b], [v] **e** [f], [t] **e** [d]

1a *Ascolta e segna quale suono senti per ogni parola.* 🎧 | **DVD** 52

	[v] o [b] ?							[p] o [b] ?					
	1.	2.	3.	4.	5.	6.		1.	2.	3.	4.	5.	6.
[v]	☐	☐	☐	☐	☐	☐	[p]	☐	☐	☐	☐	☐	☐
[b]	☐	☐	☐	☐	☐	☐	[b]	☐	☐	☐	☐	☐	☐

	[v] o [f] ?							[t] o [d] ?					
	1.	2.	3.	4.	5.	6.		1.	2.	3.	4.	5.	6.
[v]	☐	☐	☐	☐	☐	☐	[t]	☐	☐	☐	☐	☐	☐
[f]	☐	☐	☐	☐	☐	☐	[d]	☐	☐	☐	☐	☐	☐

1b *Ascolta e scegli la parola giusta.* 🎧 | **DVD** 53

1. La (vedera/federa) è nella (cassapanca/cassabanca) vicino al letto.
2. Da piccolo in giardino (avevo/abevo) un bellissimo (abete/avete).
3. Da vicino non ci (vedo/fedo) bene, sono (presbite/presbide).
4. L'aereo è il mezzo più (rapido/rapito) per raggiungere (Lampedusa/Lambedusa).

1c *Ascolta e completa le frasi con le seguenti lettere:* v, b, p, f, d, t. 🎧 | **DVD** 54

1. Ad un ___ratto vi___i un ___elo di tristezza cadere sul suo bel ___iso.
2. Quan___o arriva Umber___o s___appiamo un'altra bottiglia.
3. Al___ina è troppo ___istratta per essere affida___ile.
4. Sera___ino è stato la___idario come al solito.

1d *Ascolta e completa il cruciverba.*

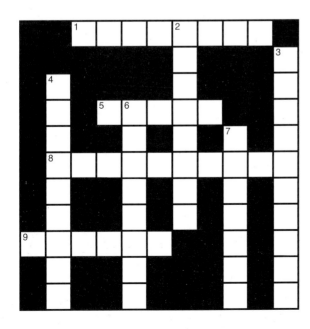

(Orizzontali ➡) 🎧 | **DVD** 55

(Verticali ⬇) 🎧 | **DVD** 56

modulo sei | arti

unità 14   mi piace moltissimo!

unità 15   il concerto è andato bene!

unità 16   ieri sera

comunicazione

Informarsi sul tempo libero e rispondere
▸ *Tu cosa fai nel tempo libero?* ▸ *Vado al cinema...*

Capire che cosa una persona ama o non ama fare
▸ *Mi piace...*

Indicare una preferenza ▸ *Non va bene, preferisco...*

Raccontare eventi passati ▸ *Ho conosciuto una ragazza...*

Ricostruire l'ordine cronologico di un racconto
▸ *Dopo il concerto, abbiamo deciso di...*

Chiedere e dire la data ▸ *Che giorno è oggi?*
▸ *Martedì 4 luglio 2009*

Fare una proposta ▸ *Ti va di...?*

Accettare e rifiutare ▸ *Certo!,*
Mi dispiace, non posso.

Concordare un appuntamento
▸ *Che ne dici se ci vediamo domani?*

grammatica

Le preposizioni articolate

Il verbo *piacere*

I pronomi indiretti

Gli avverbi di luogo e di tempo

Le preposizioni di tempo
dal – al, *fa*, *fra*, *nel*

Il passato prossimo

Il participio passato

Le espressioni di tempo *Adesso*, *Alle otto...*

La scelta dell'ausiliare nel passato prossimo

Il pronome relativo *che*

comunicazione

Informarsi sul tempo libero e rispondere ▸ *Tu cosa fai nel tempo libero?*
▸ *Vado al cinema...*

Capire che cosa una persona ama o non ama fare
▸ *Mi piace...*

Indicare una preferenza
▸ *Non va bene, preferisco...*

grammatica

Le preposizioni articolate

Il verbo *piacere*

I pronomi indiretti

1   Introduzione

1a   *Indica quale biglietto, tra quelli della lista, hanno in mano le persone rappresentate nei disegni.*

Concetta n° _____   Antonio n° _____   Aurora n° _____   Maria n° _____

1
Corso per principianti

Dagli antipasti ai dolci, tutto quello che bisogna sapere per diventare dei veri cuochi. Diventa un mago dei fornelli in 10 pratiche lezioni!

L'appuntamento è tutti i giovedì dalle 19 alle 21 nella sede di via dell'anima 61 tel. 0554354671 accademiagastro@libero.it

Accademia di gastronomia

2
Dicembre a tutto ritmo allo **SPAZIO DANZASSASSINA**

Sabato 3 | ore 23
Serata Disco anni '70 con dj Santarita

Sabato 10 | ore 22
Serata Salsa con Los Cubanos

Per informazioni scrivi a danzassassina@spazio.it o vai sul sito www.danzassassina.it

3

INTERO
Multisala Roxy
via degli artisti, 25
Orario   Domenica
17.30 09.02.2010
Nel nome del padre
Posto **H/12**   Sala **2**
Prezzo Prevendita   Totale
7.00   **0.50**   **7.50**
Euro   Euro   Euro
08/02/2010   09:26:18

Nel nome del padre
17.30 09.02.2010

4
Antonio Vivaldi
Le quattro stagioni

Orchestra dell'Accademia di Santa Cecilia
DIRETTORE Antonio Pappano

martedì 9 marzo 2010 • ore 21.00

Auditorium Parco della musica
Viale De Coubertin

Con il patrocinio di Accademia di Santa Cecilia
Musicaincontro • Lottomatica • BNL

info@parcodellamusica.it

ingresso   **Platea**
09/03/2010
ore 21.00
L.   o L.   o P.
euro 0,00 euro P.
Fila 15 n. C
N. 27/3 OMAGGIO

A-158901

ACCADEMIA NAZIONALE DI SANTA CECILIA

1b *E tu cosa fai nel tempo libero? Parlane con alcuni compagni.*

Andare al cinema   Cucinare   Andare in bicicletta   Guardare la tv   Andare in palestra   Leggere   Ascoltare musica   Navigare in internet   Ballare   Suonare uno strumento

2   Ascoltare | Una canzone

2a *Ascolta. Secondo te di cosa si tratta? Quale, tra i quattro eventi del punto* **1a** *è il più simile?* 57

2b *Ascolta la canzone. Secondo te qual è il titolo?* 58
Parlane con un compagno e scrivete il vostro titolo qui sotto.

2c *Qui sotto hai 4 frasi della canzone con le parole in disordine. Rimettile in ordine, poi confrontati con un compagno.*

domani   e

sarò   domani?   dove

così   soli   non

domani   è   già

▸ (_____) comincia (_____).

▸ (_____) (_____) (_____)

▸ (_____) siamo (_____) (_____).

▸ (_____) (_____) (_____) qui.

2d *Ora ascolta ancora tutta la canzone e inserisci nel testo le frasi riordinate al punto* **2c**. 58

Ma domani domani, domani lo so
lo so che si passa il confine,
e di nuovo la vita
sembra fatta per te

_____

_____

E la vita la vita si fa grande così

_____

Tra le nuvole e il mare
si può fare e rifare
con un po' di fortuna
si può dimenticare.

_____

Dove sarò?
Oh oh oh...

Tra le nuvole e il mare
si può andare e andare

sulla scia delle navi
di là dal temporale
e qualche volta si vede
domani
una luce di prua
qualcuno grida: domani.

_____

(ripete molte volte)

Tra le nuvole e il mare
si può andare, andare
sulla scia delle navi
di là dal temporale
E qualche volta si vede
una luce di prua
e qualcuno grida, domani

_____

(ripete molte volte)

_____

Domani

Tra le nuvole e i sassi
passano i sogni di tutti
passa il sole ogni giorno
senza mai tardare.

_____

Dove sarò?

Tra le nuvole e il mare
c'è una stazione di posta
uno straccio di stella
messa lì a consolare
sul sentiero infinito
del maestrale.

©2003 Mauro Pagani

3 **Analisi grammaticale** | Le preposizioni articolate

3a *Evidenzia nei testi del punto* **1a** *tutte le preposizioni che contengono un articolo, come negli esempi. Poi scrivi qui sotto quante sono in ogni testo e fai il totale. Quando hai finito confronta i tuoi risultati con quelli di un compagno. Se avete numeri diversi verificate tornando sui testi.*

(da + gli)

(a + i)

▸ testo 1   ci sono ____ preposizioni con articolo.
▸ testo 2   ci sono ____ preposizioni con articolo.
▸ testo 3   ci sono ____ preposizioni con articolo.
▸ testo 4   ci sono ____ preposizioni con articolo.

⊙ totale _____

3b *Scrivi al posto giusto nella tabella le preposizioni che hai trovato, come nell'esempio.*

preposizioni articolate

	il	lo	l'	la	i	gli	le
di	___	___	___	___	___	___	___
a	___	___	___	___	*ai*	___	___
da	___	___	___	___	___	*dagli*	___
in	___	___	___	___	___	___	___
su	___	___	___	___	___	___	___

3c *Prova a completare lo schema con le preposizioni articolate mancanti. Poi confronta, prima con un compagno, poi con tutta la classe.*

4 Ascoltare | Mi piace moltissimo! 59

4a *Ascolta il dialogo e rispondi alla domanda.*

Chi parla?

la cantante
un ragazzo del pubblico
il barista
il cantante
una ragazza del pubblico
la ragazza del cantante
il chitarrista

4b *Chi parla con chi? Riascolta il dialogo e collega con una freccia i personaggi che parlano tra di loro.*

4c *Completa la tabella, come nell'esempio. Se necessario riascolta il dialogo.*

Stefano

ama 👍	non ama 👎

Euridice

ama 👍	non ama 👎
la canzone Domani	

5 Analisi grammaticale | I pronomi indiretti

5a *Leggi le frasi estratte dal dialogo del punto* **4** *e indica a chi si riferiscono i pronomi indiretti* <u>evidenziati</u>, *come nell'esempio.*

Stefano	Eh, sì, "Domani". **Ti** piace?
Euridice	Sì, **mi** piace moltissimo. È veramente bella. Di chi è?
Euridice	E che tipo di musica **vi** piace suonare?
Stefano	No, ma **mi** piace... sì sì **mi** piace... Senti, Euridice, tu che fai? Suoni anche tu?
Euridice	Beh... **mi** piacciono le cose difficili...
Euridice	Beh, vado anche a cavallo, corro in moto... **Ti** piacciono le moto?
Stefano	No, no... è Caterina, la cantante. **Le** piace scherzare. Senti...
Stefano	Adesso io devo andare a suonare. Ma **ti** va di fare due chiacchiere dopo il concerto?

a Stefano

a Stefano e ai suoi compagni

a Euridice

a Caterina

Il verbo *piacere*

gelato ▸ singolare

A Marco **piace** il gelato.

(gli **piace** il gelato)

biscotti ▸ plurale

A Valerio **piacciono** i biscotti.

(gli **piacciono** i biscotti)

5b *Completa la tabella con i pronomi indiretti* <u>evidenziati</u> *nelle frasi del punto* **5a**.

pronomi indiretti

io	_____	(a me)	noi	__ci__	(a noi)
tu	_____	(a te)	voi	_____	(a voi)
lui	__gli__	(a lui)	loro	__gli__	(a loro)
lei	_____	(a lei)		_____	

6 Esercizio | Nooo!

🎧 60

Ascolta molte volte il brano audio e trascrivilo, inserendo una parola in ogni spazio. Quando non riesci più ad andare avanti lavora con un compagno. Poi ascolta ancora.

E. Beh, vado anche a cavallo, corro in moto...

Ti _____ _____ moto?

S. Nooo! _____ troppo _____ per _____ _____

_____... E _____ ho _____ _____, la moto

_____ _____ _____. Preferisco _____ _____.

7 Gioco | Ti piacciono le moto?

Gioca in gruppi di quattro, due contro due. A turno una coppia sceglie una casella e recita il dialogo dell'esercizio 6, modificando gli elementi sottolineati, come nell'esempio. Attenzione alla casella verde: la risposta deve essere positiva. Se l'altra coppia ritiene che il dialogo sia corretto la coppia conquista la casella. Vince la prima coppia che riempie 4 caselle in orizzontale o in verticale.

✎ **Esempio**

● Euridice
Ti piacciono le moto?

■ Stefano
Nooo, sono troppo pericolose per i miei gusti...
E poi ho il contrabbasso, la moto non va bene.
Preferisco la macchina.

Euridice parla di:
la sorella di Stefano

Il mezzo è:
il tandem

● Euridice
Le piace il tandem?

■ Stefano
Nooo, è troppo pericoloso per i suoi gusti...
E poi ha il contrabbasso, il tandem non va bene.
Preferisce la macchina.

➡ Sì! Le piace!

Euridice parla di:
la sorella di Stefano

Il mezzo è:
la mountain bike

Euridice parla di:
Stefano e Rita

Il mezzo è:
i pattini

Euridice parla di:
gli amici di Stefano

Il mezzo è:
lo skateboard

Euridice parla di:
Stefano

Il mezzo è:
la Vespa

Euridice parla di:
Stefano e Rita

Il mezzo è:
il sidecar

Euridice parla di:
gli amici di Stefano

Il mezzo è:
la bicicletta

Euridice parla di:
Stefano

Il mezzo è:
i trampoli

Euridice parla di:
il fratello di Stefano

Il mezzo è:
lo scooter

Euridice parla di:
gli amici di Stefano

Il mezzo è:
i pattini

Euridice parla di:
Stefano

Il mezzo è:
il monopattino

Euridice parla di:
il fratello di Stefano

Il mezzo è:
la mountain bike

Euridice parla di:
Stefano e Rita

Il mezzo è:
il motorino

Euridice parla di:
Stefano

Il mezzo è:
lo scooter

Euridice parla di:
la sorella di Stefano

Il mezzo è:
la Vespa

Euridice parla di:
Rita

Il mezzo è:
il sidecar

Euridice parla di:
gli amici di Stefano

Il mezzo è:
i trampoli

 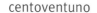

8   Parlare | Mi piace

8a   *Pensa a 5 cose che ti piacciono e a 5 cose che non ti piacciono.*
Scrivile e dille ad un compagno.

8b   *Tra le cose che hai scritto, qual è quella che ti piace di più e quella che ti piace*
di meno? Perché? Parlane con lo stesso compagno del punto **8a**.

8c   *Lavora con un altro compagno e raccontagli cosa piace e non piace al compagno*
di prima.

9   Cantare | Domani

🔴 58

Gioca a squadre. A turno, ogni squadra canta
la canzone "Domani" mentre ascolta il CD.
A un certo punto l'insegnante abbassa il volume
per poi rialzarlo qualche battuta dopo. Gli studenti
devono continuare a cantare. Vince la squadra
che riesce a tenere meglio il tempo.

unità **14** | **mi piace moltissimo!**

Cosa hai studiato di grammatica in questa unità?
Collega i contenuti di sinistra con gli esempi di destra.

grammatica

Le preposizioni articolate

Il verbo *piacere*

I pronomi indiretti

Ti va di fare due chiacchiere?

Nel nome del padre

Ti piacciono le moto?

comunicazione

Raccontare eventi passati
▸ *Ho conosciuto una ragazza...*

Ricostruire l'ordine cronologico di un racconto
▸ *Dopo il concerto, abbiamo deciso di...*

grammatica

Gli avverbi di luogo e di tempo

Le preposizioni di tempo
dal – al, fa, fra, nel

Il passato prossimo

Il participio passato

unità **15** | **il concerto è andato bene!**

1 Leggere | In chat

1a *Ricordi Stefano e Rita? Ora parlano in chat. Leggi l'inizio della conversazione e indica dove cominciano le battute di Rita e di Stefano, come negli esempi.*

Stefano

Aggiungi | l'argomento | Profilo | Chiama | Invia File

Vista messaggi precedenti: 1 Settimana | 2 Settimane | 1 Mese | 3 Mesi | 6 Mesi | 1 Anno | Tutto

29 luglio 2010

Stefano — Hey Rita, sei on line? 15:49
Ho provato a telefonarti 5 minuti
fa ma non sono riuscito a prendere la linea.

Rita — Ciao Stefano. 15:50
Scusa ma qui a Capri il cellulare non prende
molto bene.
Come stai? Non ho avuto nessuna notizia
del tuo concerto!
E a casa? Tutto ok?
Sì, tutto bene. Non so come ringraziarti!
Ho passato una settimana molto movimentata,
ma c'è anche una bella notizia!
Che bello!
Racconta, racconta!
Il concerto è andato bene, e la prima sera...
ho conosciuto una ragazza.
WOW! ☺

1b *Continua la lettura della discussione e scegli il finale giusto tra le proposte a destra. Poi confrontati con un compagno.*

Stefano	Una tipa mooolto particolare. Neanche il nome ha normale: si chiama Euridice! Pensa che va a cavallo, in moto... e vuole lavorare in un circo come trapezista.	15:55
Rita	Trapezista?	15:55
Stefano	Sì sì. Ma questo è niente! L'ultima sera, dopo il concerto, abbiamo deciso di andare a mangiare qualcosa insieme. In moto.	15:56
Rita	In moto? In due... con il contrabbasso???	15:57
Stefano	Esatto. E infatti dopo cento metri siamo caduti! Io ho ancora una mano che mi fa male. Per questo non sono andato a suonare a Perugia.	15:57
Rita	Ah, mi dispiace. E cosa avete fatto dopo l'incidente?	15:59
Stefano	Siamo andati a casa sua.	15:59
Rita	Ah, bravi!	16:00
Stefano	Sì ma non è come pensi. Prima ho dovuto fare sette piani di scale con il piede gonfio! Poi, appena entrati abbiamo trovato tutta la casa in disordine. Piatti da lavare, vestiti sul divano... e lei: "Scusa ma Giacomo, che vive qui con me, è un po' disordinato. La casa è sua. Se mi aiuti a lavare i piatti io cucino qualcosa per tutti e tre".	16:00
Rita	Tu, lei e... Giacomo??	16:01
Stefano	Esatto. Così ho lavato i piatti, con il polso che mi faceva ancora male. E poi è arrivato Giacomo...	16:03
Rita	... il suo ragazzo.	16:04
Stefano	Ahahahah, no no. Giacomo è un signore sui 60 anni. Simpatico. Ma non è tutto... Non puoi immaginare che lavoro fa.	16:05
Rita	Cosa?	16:05
Stefano	È un agente discografico. La mia musica gli è piaciuta e mi ha offerto un contratto per pubblicare un CD! Così dal 20 al 27 ottobre sarò in sala d'incisione!	16:06
Rita	Ma dai! È incredibile!	16:07
Stefano	Infatti.	16:07
Rita	E la ragazza?	16:07

Finale n° _____

Stefano
Euridice? Non voglio più vederla. È così noiosa!
Rita
Eh, certo! E poi non ama nemmeno la musica!
Stefano
Infatti! Ma ci sono tante donne al mondo! Ora ti saluto. Ci sentiamo presto.
Rita
Ciao Stefano.

Stefano
Euridice? È completamente pazza, ma mi piace un sacco!
Rita
Voglio sapere tutto! Fra un paio di settimane vengo lì a trovarti e mi racconti bene, ok? Ora devo andare.
Stefano
Va bene. Ti abbraccio forte. Ci vediamo presto!

Stefano
Euridice? Non so. È molto carina ma non sono sicuro.
Rita
Perché?
Stefano
È viziata! Non ha iniziativa, devo sempre pensare e fare tutto io!
Rita
Davvero?? Allora no!!!
Stefano
Infatti! Senti ora ti saluto! A presto.
Rita
Ciao Stefano. Ci sentiamo.

Preposizioni per indicare il tempo

Adesso   5 minuti fa

Dal 20 al 27 ottobre

		OTTOBRE				
LUNEDÌ	MARTEDÌ	MERCOLEDÌ	GIOVEDÌ	VENERDÌ	SABATO	DOMENICA
		1	2	3	4	5
6	7	8	9	10	11	12
13	14	15	16	17	18	19
20	21	22	23	24	25	26
27	28	29	30	31		

Fra un paio di settimane

		OTTOBRE				
LUNEDÌ	MARTEDÌ	MERCOLEDÌ	GIOVEDÌ	VENERDÌ	SABATO	DOMENICA
		1	2	3	4	5
6	7	8	9	10	11	12
13	14	⊗	16	17	18	19
20	21	22	23	24	25	26
27	28	29	30	31		

2 Analisi lessicale | Avverbi di tempo

Tutti gli avverbi della lista sono stati usati nella chat. Inseriscili nel giusto gruppo come negli esempi. Se necessario rileggi il testo del punto 1.

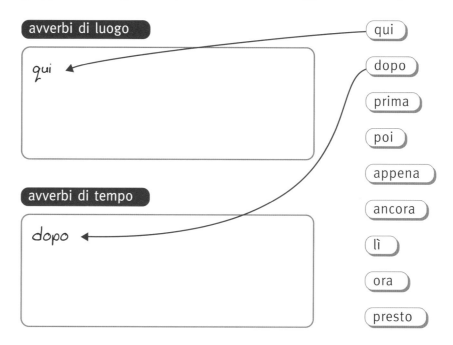

avverbi di luogo

qui

avverbi di tempo

dopo

qui · dopo · prima · poi · appena · ancora · lì · ora · presto

3 Gioco | Il giusto ordine

Dividetevi in squadre. Rileggete tutta la chat del punto 1 e mettete in ordine cronologico gli eventi accaduti prima della chat e quelli previsti dopo la chat. Quando il vostro gruppo ha finito chiamate l'insegnante. Se la sequenza è giusta avete vinto, altrimenti il gioco continua.

1. Giacomo offre un contratto a Stefano.
2. Stefano lava i piatti.
3. Euridice e Stefano trovano la casa in disordine.
4. Rita va a trovare Stefano.
5. Euridice e Stefano vanno in moto.
6. Euridice e Stefano cadono dalla moto.
7. Euridice e Stefano si conoscono.
8. Stefano sale le scale.
9. Stefano prova a telefonare a Rita.
10. Euridice e Stefano decidono di andare a mangiare insieme.
11. Stefano va in sala d'incisione.
12. Euridice e Stefano entrano nella casa di Euridice.

4   Analisi grammaticale | Il passato prossimo

4a   *Rileggi la prima parte della chat al punto **1a** e copia accanto ad ogni infinito i verbi usati per parlare di fatti passati, come negli esempi.*

1. provare   *ho provato*   2. riuscire   *sono riuscito*

3. avere   4. passare

5. andare   6. conoscere

4b   *Lavora con un compagno. Guardate i verbi del punto **4a** e completate la regola sul passato prossimo.*

> Il passato prossimo è formato dal verbo _____ o _____
> + il participio passato.

4c   *Guarda i verbi del punto **4a** e completa la regola della formazione del participio passato regolare.*

I -are	II -ere	III -ire
provare ▸ prov _____	avere ▸ av _____	riuscire ▸ riusc _____

4d   *Ora trova in tutta la chat gli altri verbi al passato prossimo e inseriscili nello schema.*

essere

> sono riuscito   _____
> è andato   _____
> _____   _____
> _____

avere

> ho provato   _____   _____
> ho avuto   _____   _____
> ho passato   _____
> ho conosciuto   _____

4e   *Lavora con un compagno. Guardate i verbi nel primo schema e scegliete la regola giusta che riguarda il passato prossimo con il verbo **essere**. Poi confrontatevi con il resto della classe.*

> Quando il passato prossimo si forma con il verbo **essere**:
> ☐   il verbo **essere** è sempre singolare.
> ☐   il participio deve essere accordato con il soggetto.
> ☐   il participio è sempre maschile.

5   Gioco | L'oca del passato prossimo

Gioca in un gruppo di 3 – 4 persone con 1 dado e pedine. A turno i giocatori lanciano un dado e avanzano con la pedina di tante caselle quanti sono i punti indicati dal dado. Arrivati sulla casella devono formare una frase usando gli elementi indicati: soggetto, verbo e oggetto, coniugando il verbo al passato prossimo, come negli esempi. Gli altri studenti controllano: se la frase non è corretta la pedina non può avanzare e torna indietro. Se la pedina capita sulla casella STOP, deve rimanere ferma un turno.

Il passato prossimo di alcuni verbi irregolari

- avere ▸ ho avuto
- dire ▸ ho detto
- essere ▸ sono stato
- fare ▸ ho fatto
- leggere ▸ ho letto
- piacere ▸ è piaciuto
- prendere ▸ ho preso
- scrivere ▸ ho scritto
- venire ▸ sono venuto

| Carlo ballare il tango | lo studente deve formare una frase utilizzando l'ausiliare *avere* Esempio ▶ Carlo ha ballato il tango | Susanna venire da casa | lo studente deve formare una frase utilizzando l'ausiliare *essere* Esempio ▶ Susanna è venuta da casa | il gelato piacere Marco | lo studente deve formare una frase facendo il passato prossimo del verbo *piacere* Esempio ▶ Il gelato è piaciuto a Marco |

← partenza

io portare il libro

Lara venire in classe | i fiori piacere a Francesca | mio fratello pulire il tavolo | tu capire la regola | Valerio uscire dal cinema | io e Andrea sentire un concerto

Luisa e Antonio fare la spesa

le mie amiche guardare lo spettacolo

Costanza cantare una canzone

il film piacere a Maria

voi fare l'esercizio

→ arrivo

Stefania suonare il contrabbasso | la pasta piacere a Ernesto

Carlo e Katia entrare a casa

mio padre lavare la macchina

Giovanna arrivare a scuola

Daniela e Milena arrivare al negozio

STOP

io andare al mare

Piero finire la pasta

STOP

tu imparare il passato prossimo

voi trovare il libro

le feste piacere a Carlo | noi prendere le penne | STOP | la lezione piacere a Marco e Silvia

Carla cadere dalle scale

Alessandro arrivare a casa

voi ricevere un regalo

io avere un premio | STOP | tu prendere il giornale | Maria e Rita andare al cinema | le studentesse finire i compiti | io ascoltare la musica | Chiara uscire con Luigi | io e Marta suonare il pianoforte

unità 15 | il concerto è andato bene!

Cosa hai studiato di comunicazione in questa unità? Elimina il contenuto che non hai ancora studiato. Verrà presentato nella prossima unità.

comunicazione

☐ Raccontare eventi passati ▶ *Ho conosciuto una ragazza...*

☐ Chiedere e dire la data ▶ *Che giorno è oggi?* ▶ *Martedì 4 luglio 2009*

☐ Ricostruire l'ordine cronologico di un racconto
  ▶ *Dopo il concerto, abbiamo deciso di...*

comunicazione

Chiedere e dire la data
▸ *Che giorno è oggi?*
▸ *Martedì 4 luglio 2009*

Fare una proposta
▸ *Ti va di...?*

Accettare e rifiutare ▸ *Certo!, Mi dispiace, non posso.*

Concordare un appuntamento
▸ *Che ne dici se ci vediamo domani?*

grammatica

Le espressioni di tempo *Adesso, Alle otto...*

La scelta dell'ausiliare nel passato prossimo

Il pronome relativo *che*

1 Leggere | Benigni legge Dante

1a *Leggi l'articolo e completa il testo con l'espressione giusta.*

moderato successo ▸ grande successo ▸ grande insuccesso ▸ inaspettato insuccesso

CORRIERE DI SIENA
della provincia

Redazione: Banchi di Sopra, 15 - Siena / Tel. 0577/530055 - 530147
Fax 0577/270132 e-mail:corrsiena@edib.it   Abbinamento obbligatorio CORRIERE DI SIENA+Corriere NAZIONALE = 1,10 euro

Roberto Benigni legge Dante

Roberto Benigni ha spiegato e ha recitato il quinto canto dell'Inferno della Divina Commedia.

Siena, 16 luglio 2009 – La città di Siena, due sere fa, ha vissuto un piccolo miracolo. Verso le 20 i negozi hanno chiuso, le strade del centro hanno acceso le luci della sera e tutti i senesi sono accorsi in Piazza del Campo per assistere a un evento eccezionale. Una partita di calcio? Un concerto di una star del rock? No, niente di tutto questo. L'altra sera tutta Siena è uscita in strada per ascoltare Roberto Benigni leggere la Divina Commedia di Dante. In una Piazza del Campo affollatissima (si calcolano tra le 25 mila e le 30 mila persone), Roberto Benigni ha spiegato e ha recitato il quinto canto dell'Inferno.

Prima di recitare Dante, l'artista toscano ha aperto lo spettacolo con un breve monologo, che ha riguardato soprattutto i temi dell'attualità. Moltissime sono state le battute sulla politica, che hanno provocato le risate del pubblico. Poi Benigni ha iniziato la lettura del quinto canto. Come tutti sanno, è il canto dell'amore tra Paolo e Francesca.

L'attore toscano ha spiegato con grande semplicità e chiarezza il significato del canto e poi ha recitato il testo. Quando è arrivato a pronunciare i famosi versi "Amor, ch'a nullo amato amar perdona..." tutta la piazza è rimasta in un silenzio magico, completamente rapita dalla bravura dell'attore.

Alla fine, il pubblico ha applaudito per molti minuti e Benigni ha regalato vari bis.

Lo spettacolo di Benigni, dal titolo TuttoDante, ha debuttato in piazza Santa Croce a Firenze esattamente 3 anni fa ed è stato subito un _____.

Poi Benigni è partito per un tour mondiale, che ha toccato prima l'Europa e successivamente gli Stati Uniti. Ora lo spettacolo ha ricominciato a girare per le piazze italiane.

1b *Rileggi l'articolo e completa la tabella con le informazioni mancanti.*

	città	luogo della città	data
primo spettacolo di Benigni su Dante ▸	_____	_____	_____
ultimo spettacolo di Benigni su Dante ▸	_____	_____	_____

La Divina Commedia

È l'opera più importante della letteratura italiana. Scritta da Dante Alighieri nel 1300, racconta il viaggio fantastico del grande poeta attraverso i tre regni dell'Inferno, del Purgatorio e del Paradiso. Ognuna di queste 3 parti è composta da 33 canti.

1c *Completa le frasi con le espressioni equivalenti a quelle del testo, come nell'esempio.*

1. _____ lo spettacolo di Benigni ha debuttato in piazza Santa Croce a Firenze.

2. _____ Benigni è partito per un tour mondiale.

3. _____ la città di Siena ha vissuto un piccolo miracolo.

4. _____ i negozi hanno chiuso, le strade del centro hanno acceso le luci della sera e tutti i senesi sono accorsi in Piazza del Campo.

5. _____ Benigni ha aperto lo spettacolo con un breve monologo.

6. _____ ha iniziato la lettura del quinto canto.

7. _____ tutta la piazza è rimasta in un silenzio magico.

8. _____ il pubblico ha applaudito per molti minuti e Benigni ha regalato vari bis.

9. ___*Adesso*___ lo spettacolo ha ricominciato a girare per le piazze italiane.

> Adesso
>
> Al termine dello spettacolo
>
> Alle 8 di sera
>
> Dopo il debutto a Firenze
>
> Dopo il monologo
>
> Il 14 luglio 2009
>
> Nel 2006
>
> Prima della lettura del quinto canto
>
> Quando ha recitato i famosi versi

2 Analisi grammaticale | Essere o avere

2a *Guarda il testo e scegli la regola giusta.*

☐ La maggior parte dei verbi ha ausiliare **avere**.
☐ La maggior parte dei verbi ha ausiliare **essere**.

2b *Guarda i verbi con ausiliare* **essere**. *Cosa hanno in comune?*

Indicano:
☐ un passato più lontano.
☐ uno spostamento o stato nello spazio.
☐ un sentimento, un'emozione.

3 **Esercizio** | Passato prossimo

Completa la chat tra Stefano e Rita con i verbi al passato prossimo.

Stefano —

```
●  ◐  ○                          Stefano                                ▭

  ⊕         📝          ⓘ        📞         ⬆️
Aggiungi  l'argomento      Profilo   Chiama    Invia File

        Vista messaggi precedenti: 1 Settimana | 2 Settimane |
               1 Mese | 3 Mesi | 6 Mesi | 1 Anno | Tutto
```

Stefano	Il concerto (*andare*) _____ bene, e la prima sera… (*conoscere*) _____ una ragazza.	15:54
Rita	WOW! ☺	15:54
Stefano	Una tipa moooolto particolare. Neanche il nome ha normale: si chiama Euridice! Pensa che va a cavallo, in moto… e vuole lavorare in un circo come trapezista.	15:55
Rita	Trapezista?	15:55
Stefano	Sì sì. Ma questo è niente! L'ultima sera, dopo il concerto, (*decidere*) _____ di andare a mangiare qualcosa insieme. In moto.	15:56
Rita	In moto? In due… con il contrabbasso???	15:57
Stefano	Esatto. E infatti dopo cento metri (*cadere*) _____! Io ho ancora una mano che mi fa male. Per questo non (*andare*) _____ a suonare a Perugia.	15:57
Rita	Ah, mi dispiace. E cosa (*fare*) _____ dopo l'incidente?	15:59
Stefano	(*Andare*) _____ a casa sua.	15:59
Rita	Ah, bravi!	16:00
Stefano	Sì ma non è come pensi. Prima ho dovuto fare sette piani di scale con il piede gonfio! Poi, appena entrati (*trovare*) _____ tutta la casa in disordine. Piatti da lavare, vestiti sul divano… e lei: "Scusa ma Giacomo, che vive qui con me, è un po' disordinato. La casa è sua. Se mi aiuti a lavare i piatti io cucino qualcosa per tutti e tre".	16:00
Rita	Tu, lei e… Giacomo??	16:01
Stefano	Esatto. Così (*lavare*) _____ i piatti, con il polso che mi faceva ancora male. E poi (*arrivare*) _____ Giacomo…	16:03

La data

Nelle lettere o all'inizio di un testo la data si scrive così:

▸ *Roma, 6 agosto 2010*
▸ *Roma, 6/8/2010*
▸ *martedì 6 agosto 2010*

Negli altri casi si usa l'articolo, eccetto quando c'è il giorno della settimana:

▸ *Sono nato **il** 16 luglio 1992.*
▸ *Oggi è **il** 10 settembre.*
▸ *Parto **mercoledì** 10 settembre.*

4 Analisi grammaticale | Il pronome relativo *che*

4a *Unisci le frasi giuste con il pronome relativo* **che.**

1. L'artista toscano ha aperto lo spettacolo con un breve monologo — hanno provocato le risate del pubblico.

2. Moltissime sono state le battute sulla politica — **che** — ha riguardato soprattutto i temi dell'attualità.

3. Poi Benigni è partito per un tour mondiale — ha toccato prima l'Europa e successivamente gli Stati Uniti.

4b *Il pronome relativo* **che** *sostituisce un elemento in ogni frase della prima colonna. Quale? Segui l'esempio.*

1. un breve monologo   2. _____   3. _____

5 Analisi della conversazione | Certo!

5a *Le 4 parti* **evidenziate** *sono state scambiate. Rimettile nella giusta posizione. Poi ascolta e verifica.*   🎧 61

Stefano   Adesso io devo andare a suonare. **Che ne dici se ci vediamo** fare due chiacchiere dopo il concerto?
Euridice   **Certo! Perfetto,** tra un po' io devo tornare a casa. [...]

Stefano   Beh, ma allora se non puoi stasera...
Euridice   Facciamo un'altra volta. Ti do il mio numero così mi chiami. Voi siete qui tutte le sere?
Stefano   No, domani sera abbiamo l'ultimo concerto. Poi partiamo.
Euridice   Allora...Va be'... **Ma ti va di ... DOMANI?**
Stefano   Domani? **Mi dispiace, non posso.** Anzi, sai che ti dico? Domani è già qui!

5b *Scrivi ognuna delle espressioni del punto* **5a** *negli spazi, accanto alla funzione corrispondente, come nell'esempio.*

concordare un appuntamento	Che ne dici se ci vediamo

fare una proposta	

accettare	

rifiutare	

6 **Gioco** | Il pronome relativo *che*

✳ **Studente A** (Le istruzioni per lo **Studente B** sono a pag. 144)

A turno uno studente legge una domanda dalla lista "domande e risposte". L'altro studente ascolta la domanda e sceglie la risposta nella lista "risposte", unendo le due frasi con il pronome relativo *che*, come nell'esempio. Chi ha fatto la domanda verifica, sempre nella lista "domande e risposte", se la risposta è quella giusta e se è corretta grammaticalmente. Se è tutto giusto lo studente che ha risposto prende un punto. Vince chi per primo dà tutte le risposte corrette.

🖉 **Esempio**

▸ Cosa hai comprato ieri?

■ Ho comprato un libro.
■ Il libro parla di fantascienza.   ➡   Ho comprato un libro *che* parla di fantascienza.

---

domande e risposte

▸ Come apre i suoi spettacoli Benigni?

■ Inizia sempre con un monologo che parla di politica.

▸ Chi è Antonio Vivaldi?

■ Vivaldi è il compositore che ha scritto *Le 4 Stagioni*.

▸ Cos'è il quinto canto dell'Inferno?

■ È il canto della Divina Commedia che racconta l'amore tra Paolo e Francesca.

▸ Chi va al locale Danzassassina?

■ Ci vanno le persone che vogliono ballare tutta la notte.

▸ Perché moltissimi senesi sono andati in Piazza del Campo?

■ Per vedere Roberto Benigni che recita la Divina Commedia.

risposte

È l'opera più famosa di Dante Alighieri.

L'opera più famosa di Dante Alighieri racconta il viaggio del poeta attraverso l'Inferno, il Purgatorio e il Paradiso.

È il musicista.

Il musicista suona lo strumento chiamato contrabbasso.

Ci vanno le persone.

Le persone vogliono imparare a cucinare.

Sta facendo un tour mondiale.

Il tour mondiale dura da tre anni.

Benigni ha fatto uno spettacolo in piazza.

Lo spettacolo in piazza ha avuto un enorme successo.

7 Scrivere | Che cosa hai fatto questo fine settimana?

7a *Leggi la domanda. Poi prendi un foglio e rispondi. Scrivi almeno 20 righe. Hai 10 minuti di tempo.*

▸ Che cosa hai fatto questo fine settimana?

7b *Scambia il foglio con un compagno. Leggi il suo testo e alla fine scrivi una seconda domanda.*

7c *Scambia di nuovo il foglio con il compagno. Continua il tuo testo rispondendo alla sua domanda.*

7d *Scambia un'ultima volta il foglio con un compagno e leggi la sua risposta.*

unità 16 | ieri sera

Cosa hai studiato in questa unità? Completa gli spazi con le parole di destra, come nell'esempio. Poi confronta con l'indice a pag. 128.

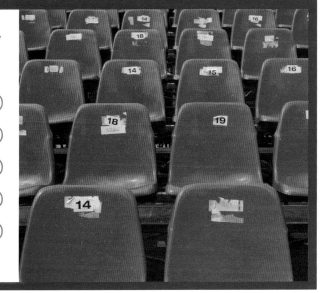

comunicazione

Chiedere e dire _____
▸ *Che giorno è oggi?* ▸ *Martedì 4 luglio 2009*

(un appuntamento)

Fare una proposta ▸ *Ti va di...?*

(~~relativo~~)

Accettare e rifiutare ▸ *Certo!*, *Mi dispiace, non posso.*

(la data)

Concordare _____
▸ *Che ne dici se ci vediamo domani?*

(di tempo)

grammatica

Le espressioni _____ *Adesso, Alle otto...*

(prossimo)

La scelta dell'ausiliare nel passato _____

Il pronome _<u>relativo</u>_ *che*

ROMA, LA PIRAMIDE. È MATTINA...

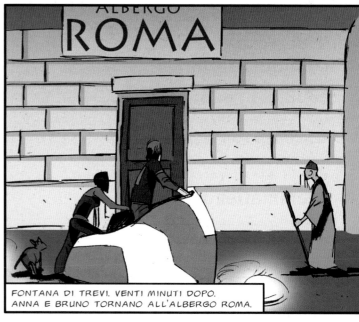

FONTANA DI TREVI. VENTI MINUTI DOPO. ANNA E BRUNO TORNANO ALL'ALBERGO ROMA.

ALLA FONTANA DI TREVI IL SOLE SI RIFLETTE SULLA SCRITTA DELL'ALBERGO ROMA...

VIENI DENTRO L'ACQUA!

PERCHÉ? NON CAPISCO.

CHE SI RIFLETTE NELL'ACQUA DELLA FONTANA.

ORA SI! È TUTTO CHIARO!

AMOR! ECCO LA RISPOSTA A TUTTO!

AMORE... ECCO LA SOLUZIONE. FINE DELLA GUERRA, FINE DELLA DISTRUZIONE.

DA QUESTO MOMENTO TUTTO CAMBIA, TUTTO RICOMINCIA, TUTTO RINASCE.

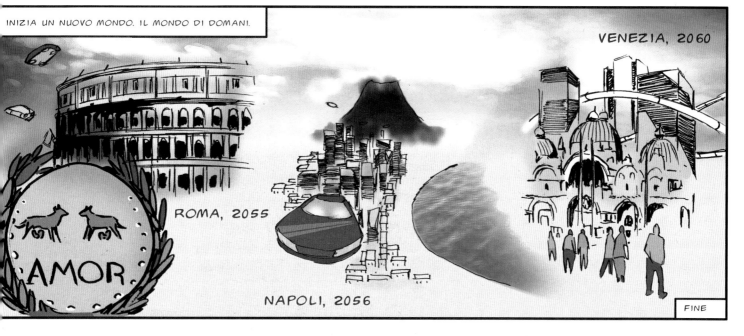

INIZIA UN NUOVO MONDO. IL MONDO DI DOMANI.

VENEZIA, 2060

AMOR

ROMA, 2055

NAPOLI, 2056

FINE

1 L'accento della frase

1a *In questo dialogo sono stati eliminati i segni di punteggiatura interni alle frasi. Leggi il dialogo e inserisci il simbolo | dove potrebbe andare una pausa breve e il simbolo || dove potrebbe andare una pausa lunga, come negli esempi.*

Euridice   Complimenti || siete bravissimi.

Stefano   Grazie.

Euridice   Senti ma | questa canzone | quella che fa | "Domani è già qui" || come si chiama?

Stefano   Eh sì "Domani" ti piace?

Euridice   Sì mi piace moltissimo è veramente bella di chi è?

Stefano   Beh è mia l'ho scritta io.

Euridice   Davvero?

Stefano   Eh sì.

Euridice   Così tu canti suoni il contrabbasso e scrivi canzoni...

Stefano   Esatto.

Euridice   WOW!

1b *Ora ascolta il dialogo e verifica.* 🔊 | 📀 62

1c *Ascolta ancora molte volte e* <u>sottolinea</u>*, in ogni frase della trascrizione* 🔊 | 📀 62 *del punto* **1a***, la sillaba con l'accento più forte, come negli esempi.*

Euridice   Compli<u>men</u>ti || siete bra<u>vis</u>simi.

Stefano   <u>Gra</u>zie.

Euridice   <u>Sen</u>ti ma | questa can<u>zo</u>ne | quella che <u>fa</u> | "Do<u>ma</u>ni è già qui" || come si <u>chia</u>ma?

1d *Lavora con un compagno. Recitate il dialogo rispettando le pause e gli accenti delle frasi.*

2 La frase dichiarativa, interrogativa ed esclamativa

Lavora con un compagno. Le istruzioni per lo **Studente B** *sono a pag. 145.* 🔊 | 📀 63

★ **Studente A** Dovete recitare un dialogo tra Euridice e Stefano. Tu sei Stefano. Nella trascrizione sono stati eliminati alcuni segni di punteggiatura. Comincia dicendo la prima battuta, poi ascolta la risposta (chiedi di ripetere se non capisci bene).
Continua il dialogo con la battuta successiva e dai l'intonazione adeguata.
Se vuoi scrivi i segni di punteggiatura, quando sei sicuro. Continuate così fino alla fine.
Recitate il dialogo finché non siete sicuri e senza mai guardare le battute dell'altro.
Alla fine ascoltate il dialogo con tutta la classe.

1. Stefano   Adesso io devo andare a suonare. Ma ti va di fare due chiacchiere dopo il concerto?

2. Stefano   Tai chi

3. Stefano   No no Per carità...

4. Stefano   Beh, ma allora se non puoi stasera...

5. Stefano   No ⬭ Domani sera abbiamo l'ultimo concerto. Poi partiamo.

6. Stefano   Domani ⬭ Certo! Perfetto ⬭ Anzi, sai che ti dico ⬭ Domani è già qui ⬭

Come scusa?

I numeri da 1 a 30

1	uno
2	due
3	tre
4	quattro
5	cinque
6	sei
7	sette
8	otto
9	nove
10	dieci
11	undici
12	dodici
13	tredici
14	quattordici
15	quindici
16	sedici
17	diciassette
18	diciotto
19	diciannove
20	venti
21	ventuno
22	ventidue
23	ventitré
24	ventiquattro
25	venticinque
26	ventisei
27	ventisette
28	ventotto
29	ventinove
30	trenta

5 Gioco | Operazioni

✳ Studente B

Chiedi il risultato delle tue operazioni e controlla che la risposta sia corretta, seguendo l'esempio. Poi rispondi alle domande dello **Studente A**. Aiutati con la lista dei numeri da 1 a 30.

✎ **Esempio**

Studente B Ventinove meno sette?   **Studente A** Dodici!   Studente B Sì.

le mie operazioni   (+ più)   (– meno)   (= uguale)

29–7=12   2+21=23   29–12=17   29–13=16   4+4=8

11+19=30   18–4=14   9–3=6   14+6=20   28–6=22

7 Parlare | Come ti chiami?

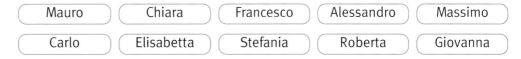

(Mauro)   (Chiara)   (Francesco)   (Alessandro)   (Massimo)

(Carlo)   (Elisabetta)   (Stefania)   (Roberta)   (Giovanna)

3 Analisi grammaticale | I verbi regolari in -are, -ere, -ire

3b ✳ Studente A

A turno, uno dei due studenti prova a indovinare una delle forme mancanti nella sua tabella e l'altro verifica nella sua tabella se è giusto, come nell'esempio. In caso di risposta giusta, lo studente che ha indovinato scrive il verbo nella casella. Vince chi completa per primo la sua tabella.

✎ **Esempio**

Studente A	*arrivare*, Io…
Studente B	Sì, giusto / No, sbagliato.

	arriv**are**	scriv**ere**	part**ire**
io		scrivo	parto
tu	arrivi		
lui / lei		scrive	parte
noi	arriviamo	scriviamo	partiamo
voi	arrivate	scrivete	
loro	arrivano		partono

6 Gioco | Battaglia navale

6a *Ascolta l'alfabeto e ripeti insieme ai compagni.* 3

6b *Lavora con un compagno. Ripetete insieme l'alfabeto. Se avete difficoltà chiamate l'insegnante.*

6c ✴ Studente B

Gioca a battaglia navale seguendo l'esempio. Cerca le parole nella tabella dello **Studente A** e scegli una casella. Se la casella è vuota, lo **Studente A** risponde "Acqua!". Se invece è piena, risponde "Colpito!", pronuncia il nome della lettera che occupa quella casella, e tu puoi scrivere la lettera nella tabella di destra. Vince chi ricostruisce per primo le cinque parole dell'altro.

> ✎ **Esempio**
> Studente A   D4.
> Studente B   Acqua!
> Studente B   B3.
> Studente A   Colpito! C.

✴ Tabella **Studente B**

	1	2	3	4	5	6	7	8	9	10
A										
B					L	I	B	R	O	
C		A								
D		R								
E		R								
F		I								
G		V								
H		E								
I		D								
L		E								
M		R								
N		C								
O		I		P	E	N	N	A		
P	F									
Q	I									
R	R							P		
S	E							I		
T	N							Z		
U	Z							Z		
V	E							A		
Z										

✴ Tabella **Studente A**

	1	2	3	4	5	6	7	8	9	10
A							.			
B			C	A						
C										
D										
E										
F										
G						E				
H										
I										
L										
M										
N							O			
O										
P										
Q										
R			I							
S										
T										
U										
V										
Z							O			

L'alfabeto italiano 3

A	a
B	bi
C	ci
D	di
E	e
F	effe
G	gi
H	acca
I	i
L	elle
M	emme
N	enne
O	o
P	pi
Q	cu
R	erre
S	esse
T	ti
U	u
V	vu
Z	zeta

altre lettere

J	i lunga
K	kappa
W	doppia vu
X	ics
Y	ipsilon

3 Analisi grammaticale | I verbi regolari in -are, -ere, -ire

3b ✶ Studente B

A turno, uno dei due studenti prova a indovinare una delle forme mancanti nella sua tabella e l'altro verifica nella sua tabella se è giusto, come nell'esempio. In caso di risposta giusta, lo studente che ha indovinato scrive il verbo nella casella. Vince chi completa per primo la sua tabella.

> ✎ Esempio
> Studente A   *arrivare*, Io…
> Studente B   Sì, giusto / No, sbagliato.

	arriv**are**	scriv**ere**	part**ire**
io	arrivo	scrivo	
tu		scrivi	parti
lui / lei	arriva	scrive	parte
noi	arriviamo		partiamo
voi			partite
loro	arrivano	scrivono	

3 Gioco | Il mimo dei verbi riflessivi

Gioca con un compagno, contro un'altra coppia (coppia A e coppia B).
Ogni coppia ha 10 frasi. La prima coppia sceglie una frase e la consegna segretamente ad uno dei due studenti dell'altra coppia. Lo studente deve mimare il contenuto della frase e il suo compagno di coppia deve indovinare e dire l'infinito del verbo dell'azione (ha 30 secondi per indovinare e può provare tutte le volte che vuole). Se lo indovina la coppia guadagna un punto. Poi tocca all'altra squadra.

Frasi coppia B	
Io mi trucco	Io mi lavo le mani
Io lavo la finestra	Io mi faccio la barba
Io mi sveglio	Io bevo un caffè
Io alzo la sedia	Io mi alzo
Io chiudo la porta	Io leggo

6 Gioco | A che ora?

⋆ Studente B

Segui l'esempio. Ascolta la domanda dello **Studente A** e verifica nella prima colonna se è corretta. Poi rispondi guardando l'orario nella seconda colonna (Esempio 1). Quindi fai la domanda, ascolta la risposta dello **Studente A** e verifica nella seconda colonna se è corretta (Esempio 2). Per ogni frase corretta si guadagna un punto. Vince lo studente che alla fine ha totalizzato più punti.

🖊 Esempio 1

Studente A domanda
▸ A che ora apre il museo?

Studente B risposta
9.15
▸ *Alle nove e un quarto / Alle nove e quindici.*

🖊 Esempio 2

Studente B domanda
andare in palestra / tu
▸ *A che ora vai in palestra?*

Studente A risposta
▸ *Dalle sette e mezza alle nove. / Dalle sette e trenta alle nove.*

domanda	risposta
1 (A che ora apre il museo?)	▸ 9.15
2 (andare in palestra / tu)	▸ Dalle sette e mezza alle nove. Dalle sette e trenta alle nove.
3 (A che ora sono i corsi di italiano?)	▸ 9.00 – 14.35
4 (cominciare / la cena)	▸ Alle sette. Alle diciannove.
5 (A che ora arrivano in ufficio Marta e Maria?)	▸ 8.30
6 (partire / l'autobus per Roma)	▸ Alle sette e quarantadue. Alle diciannove e quarantadue.
7 (A che ora è la cena?)	▸ 19.00 – 22.00
8 (essere / le lezioni)	▸ Dalle sette e dieci alle nove e venticinque. Dalle diciannove e dieci alle ventuno e venticinque.
9 (A che ora partite tu e Franco?)	▸ 8.50
10 (arrivare / i bambini)	▸ Alle nove meno un quarto. Alle otto e quarantacinque.
11 (A che ora vai in piscina?)	▸ 17.00 – 18.00
12 (essere / il pranzo)	▸ Dalle undici e trentacinque alle due. Dalle undici e trentacinque alle quattordici.

8 Parlare | Telefonata al museo

Galleria degli Uffizi	Visita guidata alla mostra di Caravaggio (in italiano)
orario apertura: 9.30/18.45	orario: mattina 10.15/pomeriggio 14.00, 16.30
▸ prezzo: euro 10	▸ prezzo: euro 8

GIALLO
ROSA
ARANCIONE
ROSSO
VERDE
AZZURRO
BLU
VIOLA
MARRONE
NERO
GRIGIO
BIANCO

4 Gioco | Di che colore è?

* Studente B

Ascolta la domanda dello **Studente A**, guarda i quadri grandi e prova a indovinare il colore mancante, come nell'Esempio 1. Se la risposta è giusta puoi colorare il quadro. Quindi guarda i quadri nella colonna a sinistra e fai una domanda allo **Studente A** (Esempio 2). Vince chi colora per primo tutti i quadri.

✏ **Esempio 1**	
Studente A	Nel quadro di de Chirico, di che colore è la palla?
Studente B	È …
Studente A	Sì./No.

✏ **Esempio 2**	
Studente B	Nel quadro di Modigliani, di che colore è il cuscino?
Studente A	È …
Studente B	Sì./No.

Pietro Longhi
i cappelli

Francesco Hayez
la giacca

Piero della Francesca il cappello

Andrea Mantegna la nuvola

Felice Casorati le mele

Amedeo Modigliani il cuscino

Giorgione
la mantella

Lorenzo Lotto
i pantaloni

Giorgio de Chirico
la palla

Carlo Carrà
il triangolo

Caravaggio
la tunica

Raffaello
le maniche

6   Parlare | Il giro dei bar

1 Introduzione

* Studente B

Gioca con un compagno. Ognuno di voi due ha una lista con 8 nomi di luoghi italiani: 4 sono isole. Scegli un nome dalla tua lista e fai la domanda come nell'esempio. Se è un'isola guadagni un punto. Poi rispondi alla domanda del compagno guardando sulla tua cartina.
Vince chi indovina per primo i nomi delle 4 isole.

✏ Esempio

Studente A _____
è un'isola?
Studente B Sì, è un'isola. / No, non è un'isola.

Studente B

Bari)

Napoli)

Ischia)

Favignana)

la Calabria)

la Sardegna)

l'Elba)

Aosta)

modulo tre | **bilancio**

Cosa faccio... | fare un'ordinazione al bar

Da 0 a 3 punti – Secondo te imparare una lingua è un'esperienza diversa dal vivere una cultura. Si può vivere una cultura solo quando si conosce molto bene la lingua e a questo livello è ancora troppo presto.

Da 4 a 9 punti – Secondo te imparare una lingua significa anche entrare in contatto con una cultura, però a volte è difficile e ti nascondi dietro la scusa che sei straniero/a.

Da 10 a 15 punti – Per te la lingua non è fatta solo di parole, ma anche di gesti, sguardi, formule per entrare in contatto. Per questo gli aspetti culturali sono importanti, anche più importanti delle parole che usi.

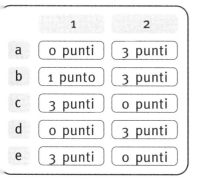

	1	2
a	0 punti	3 punti
b	1 punto	3 punti
c	3 punti	0 punti
d	0 punti	3 punti
e	3 punti	0 punti

6   Gioco | Il pronome relativo *che*

✳ **Studente B** A turno uno studente legge una domanda dalla lista "domande e risposte". L'altro studente ascolta la domanda e sceglie la risposta nella lista "risposte", unendo le due frasi con il pronome relativo *che*, come nell'esempio. Chi ha fatto la domanda verifica, sempre nella lista "domande e risposte", se la risposta è quella giusta e se è corretta grammaticalmente. Se è tutto giusto lo studente che ha risposto prende un punto. Vince chi per primo dà tutte le risposte corrette.

✎ **Esempio**

▸ Cosa hai comprato ieri?

■ Ho comprato un libro.
■ Il libro parla di fantascienza.   ➡   Ho comprato un libro *che* parla di fantascienza.

---

domande e risposte

▸ Cosa è successo a Siena il 14 luglio 2009?

■ Benigni ha fatto uno spettacolo in piazza che ha avuto un enorme successo.

▸ Cos'è un contrabbassista?

■ È il musicista che suona lo strumento chiamato contrabbasso.

▸ Da quanto tempo Benigni è in tournée?

■ Sta facendo un tour mondiale che dura da tre anni.

▸ Chi va all'accademia di gastronomia?

■ Ci vanno le persone che vogliono imparare a cucinare.

▸ Cos'è la Divina Commedia?

■ È l'opera più famosa di Dante Alighieri che racconta il viaggio del poeta attraverso l'Inferno, il Purgatorio e il Paradiso.

risposte

Vivaldi è il compositore.

Il compositore ha scritto *Le 4 Stagioni*.

Per vedere Roberto Benigni.

Roberto Benigni recita la Divina Commedia.

È il canto della Divina Commedia.

Il canto della Divina Commedia racconta l'amore tra Paolo e Francesca.

Ci vanno le persone.

Le persone vogliono ballare tutta la notte.

Inizia sempre con un monologo.

Il monologo parla di politica.

5   Gioco | Sì o no?

Soluzione: l'insegnante risponde **sì** *quando entrambi i luoghi scelti dallo studente sono femminili (esempio: alla stazione + a via Regina Elena). In tutti gli altri casi risponde* **no.**

2 L'accento di parola | modulo due

2e *Gioca con un compagno.*

★ **Studente B**
Scegli una parola nella tua lista e pronunciala sottolineando
la vocale accentata. Lo **Studente A** controlla se è giusto.
In caso di pronuncia corretta, prendi i punti indicati qui sotto.
Poi il turno passa al tuo compagno.
Lui sceglie una parola dalla sua lista e la pronuncia.
Tu controlli nella lista dello **Studente A** se la pronuncia è corretta.
Alternatevi in questo modo fino a pronunciare tutte le parole.
Vince chi realizza più punti.

- parola accentata sulla terz'ultima vocale = 3 punti
- parola accentata sulla penultima vocale = 2 punti
- parola accentata sull'ultima vocale = 1 punti

	Studente A	Studente B
1.	familiare	ventuno
2.	scrivere	storico
3.	musica	libero
4.	insegnante	quarantatre
5.	partono	universita
6.	numero	colore
7.	liberta	matrimoniale
8.	turista	stazione
9.	pulito	telefono
10.	nazionalita	prendere

PAGINA DELLA FONETICA

La frase dichiarativa, interrogativa ed esclamativa | modulo sei

Lavora con un compagno. **DVD** 63

★ **Studente B** Dovete recitare un dialogo tra Euridice e Stefano. Tu sei Euridice. Nella trascrizione sono stati eliminati alcuni segni di punteggiatura. Comincia dicendo la prima battuta, poi ascolta la risposta (chiedi di ripetere se non capisci bene). Continua il dialogo con la battuta successiva e dai l'intonazione adeguata.
Se vuoi scrivi i segni di punteggiatura, quando sei sicuro. Continuate così fino alla fine.
Recitate il dialogo finché non siete sicuri e senza mai guardare le battute dell'altro.
Alla fine ascoltate il dialogo con tutta la classe.

1. Euridice Mi dispiace, non posso, tra un po' io devo tornare a casa ☐

   Domani mattina... insomma... devo alzarmi presto. Ho una lezione di Tai chi ☐

2. Euridice Sì, è un'arte marziale cinese... Che la vuoi vedere ☐

3. Euridice Tranquillo ☐ Stavo scherzando.

4. Euridice Facciamo un'altra volta ☐ Ti do il mio numero così mi chiami. Voi siete qui tutte le sere ☐

5. Euridice Allora... Vabbe'... Che ne dici se ci vediamo... domani ☐

1   *Il titolo del cortometraggio è "Petali". Secondo te cosa significa? Indica in quale foto sono rappresentati i petali.*

2   *Collega le scritte ai luoghi dove si possono trovare. Attenzione: uno dei luoghi non deve essere collegato.*

scritta

Nuova Gestione

VIETATO TOCCARE

SONO IN CIMITERO, MA IO TORNO!

CHIUSO

dove si può trovare?

Sulla porta d'ingresso di un negozio.

Alla fermata dell'autobus.

Su un oggetto dentro ad un negozio.

3   *Guarda questa scena del film e poi parla con un compagno.*
Provate ad immaginare chi sono i due personaggi usando la fantasia.   **DVD** scena 1

4   *Guarda l'inizio del film e verifica le tue ipotesi.*   **DVD** scena 2

5 Qui sotto hai il dialogo della scena successiva. Metti in ordine le battute, come nell'esempio.

Ragazza	Ciao.
Fioraio	Buongiorno.
Ragazza	_____
Fioraio	_1_
Ragazza	_____
Fioraio	_____
Ragazza	_____
Fioraio	Venti.
Ragazza	_____
Fioraio	È un regalo.
Ragazza	_____

1. *Da ieri. Beh, da ieri in proprio. Però ho già esperienza con i fiori.*

2. Da ieri in proprio, però ho già esperienza...

3. Grazie.

4. Vorrei un mazzo di fiori da mettere sul tavolo in salotto. Lo voglio semplice ma bello. Ma è da tanto che fai questo lavoro?

5. Io intendevo i soldi.

6. Quant'è?

7. Scusa, e questo?

6 Ora guarda il film fino a poco prima della fine: verifica il punto **5** e poi rispondi alle due domande.

DVD scena 3

▸ **Cosa ha fatto il ragazzo con i fiori?**
☐ 1. Li ha puliti.
☐ 2. Ha fatto il test "m'ama, non m'ama".
☐ 3. Ha messo un profumo sopra ogni fiore.

▸ **Cosa c'è scritto nel biglietto? Riordina la frase.**

_____ _____ tutti _____ i

" _____ _____ _____ "

(ama) (ho) (X̶) (m') (non) (tolto*) (t̶u̶t̶t̶i̶)

* tolto: participio passato di togliere = levare, eliminare

7 Guarda il finale del film.

DVD scena 4

8 Leggi la storia del film e rimetti al posto giusto le informazioni mancanti, come nell'esempio. Se necessario guarda ancora il film.

DVD petali

1. capisce che il mazzo di fiori ha gli stessi colori del suo vestito	3. dà il mazzo di margherite	6. scappa
	4. capisce che il vaso di fiori è uguale al quadro dei girasoli	7. scende dalla macchina
2. *compra un mazzo di girasoli*	5. sale in macchina	8. torna al negozio
		9. va a casa

Una ragazza entra in un negozio di fiori. _2_ , _____ e li mette in un vaso. La ragazza guarda i fiori, apre un libro di quadri di Vincent Van Gogh e _____. La ragazza esce subito e _____ per comprare un altro mazzo di fiori. La ragazza prende i fiori, _____ e _____. Allora _____ e torna al negozio ma il fioraio è al cimitero, così va a cercarlo. Quando vede la ragazza, il fioraio _____ e comincia a rubare delle margherite dalle tombe. Poi si ferma e toglie i petali dai fiori. Quando la ragazza lo trova, lui le _____ e un foglietto dove c'è scritto "ho tolto tutti i non m'ama". Il fioraio e la ragazza si abbracciano.

9 Completa il dialogo nella prima colonna con i verbi della lista. Poi indica nella seconda e nella terza colonna quale equivoco nasce dalla frase **evidenziata**. (ho) (ho) (fai) (è)

Dialogo		La ragazza vuole	Secondo lui, lei
Ragazza	Ma _____ da tanto che _____ questo lavoro?	☐ chiedere da quanto tempo fa il fioraio.	☐ gli chiede da quanto tempo fa il fioraio.
Fioraio	Da ieri. Beh, da ieri in proprio. Però _____ già esperienza con i fiori.	☐ chiedere il prezzo del mazzo di fiori.	☐ gli chiede il prezzo del mazzo di fiori.
Ragazza	Quant'è?		
Fioraio	Da ieri in proprio, però _____ già esperienza...	☐ chiedere se il mazzo di fiori è pronto.	☐ gli chiede se il mazzo di fiori è pronto.
Ragazza	Io intendevo i soldi.		
Fioraio	Venti.		

10 Completa il dialogo nella prima colonna con il verbo **conoscere** al presente e i tre pronomi della lista. Poi indica nella seconda e nella terza colonna quale equivoco nasce dalla frase **evidenziata**. (lo) (mi) (lo)

Dialogo		La ragazza vuole	Secondo lui, lei
Ragazza	Ma allora _____ Vincent!	☐ chiedere se lui conosce il pittore Van Gogh.	☐ gli chiede se conosce il pittore Van Gogh.
Fioraio	Eh... qualche... qualche cliente _____ _____ di vista però... non è che... _____ tutti i loro... i loro nomi.	☐ dire che lei conosce il pittore Van Gogh.	☐ gli dice che lei conosce il pittore Van Gogh.
Ragazza	Veramente... intendevo Van Gogh. Va beh, non _____ _____, però hai capito cosa _____ piace. Mi fai un altro mazzo?	☐ chiedere se lui conosce un cliente che si chiama Vincent.	☐ gli chiede se conosce un cliente che si chiama Vincent.

11 In italiano generalmente il pronome soggetto **io** non si usa. Guarda ancora la scritta qui sotto. Perché il fioraio l'ha usato? Scegli la risposta corretta.

> SONO IN CIMITERO, MA IO TORNO!

☐ 1. Perché ha fretta di tornare e vuole informare che torna molto presto.
☐ 2. Per sottolineare ironicamente la differenza tra lui e gli altri che non tornano (i morti).
☐ 3. Perché sta accompagnando altre persone e vuole informare che solo lui torna al negozio.

12 Gioca a squadre. Riguarda il film e prendi appunti scrivendo su un foglio i nomi e i colori degli oggetti (mobili, fiori, piante, palazzi, ecc.) che vedi. Se non conosci qualche nome, scrivilo nella tua lingua madre. Lavora con il tuo gruppo e preparate le domande per chiedere i colori degli oggetti all'altra squadra, come negli esempi. Attenzione: dovete sapere la risposta. Quando siete pronti iniziate la sfida. Se la grammatica della domanda è sbagliata la squadra che ha fatto la domanda perde un punto. Se la risposta è corretta la squadra che ha risposto guadagna un punto.

DVD petali

> ✏ Esempi
> ▶ Di che colore sono i girasoli?   ■ Sono gialli.
> ▶ Di che colore è la zucca?   ■ È arancione.

esercizi ▶ test ▶ bilanci

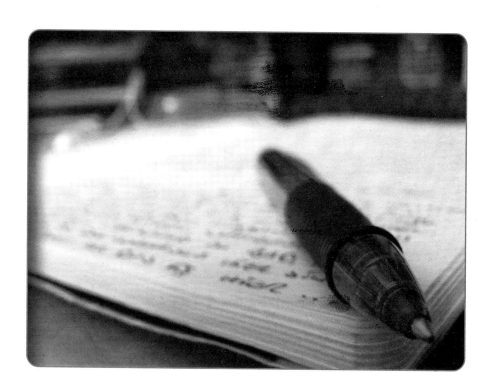

1 *Completa le vignette con i saluti della lista, come nell'esempio.*

arrivederci

buonasera

buongiorno

~~arrivederci~~

2 *Inserisci i saluti al posto giusto nella tabella.*

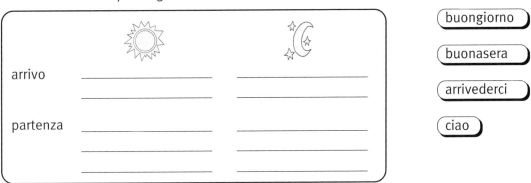

buongiorno

buonasera

arrivederci

ciao

3 *Trova 8 numeri nel puzzle e scrivili negli spazi dal più piccolo al più grande, come nell'esempio.*

¹R	²H	³U	⁴N	⁵D	⁶V	⁷O	⁸S	⁹S	¹⁰A
¹¹L	O	S	T	R	E	N	T	A	A
¹²Q	U	I	L	I	N	C	I	A	L
¹³U	N	V	E	N	T	O	T	T	O
¹⁴I	M	E	C	H	I	M	A	R	U
¹⁵N	O	N	Q	U	N	O	S	E	N
¹⁶D	E	T	R	I	O	L	E	D	D
¹⁷I	Q	U	A	T	V	S	I	I	I
¹⁸C	I	N	Q	U	E	D	I	C	I
¹⁹I	D	O	T	T	E	S	A	I	U

5. cinque

_____

_____

_____

_____

_____

_____

_____

4 *Ascolta e fai le operazioni, come negli esempi.*   DVD esercizi 1

a. _10_ + _4_ = _14_   b. _15_ – _2_ = _13_

c. _____ + _____ = _____   d. _____ + _____ = _____

e. _____ – _____ = _____   f. _____ + _____ = _____

g. _____ – _____ = _____   h. _____ – _____ = _____

i. _____ + _____ = _____   l. _____ + _____ = _____

5 *Ascolta, scrivi le lettere e ricostruisci le parole. Le lettere* evidenziate *daranno un saluto in italiano.*

1. __ __ ▨ __ __   DVD esercizi 2

2. __ ▨ __ __ __ __ __ __ __ __

3. __ ▨ __ __ ▨ __ __

4. ▨ __ __ __ __

5. __ __ ▨ __ __ __ __

6. __ __ __ ▨ __ __ __

7. __ ▨ __ __ __ __

8. __ __ __ __ __ __ ▨ ▨

Il saluto è: __ __ __ __ __ __ __ __ __ __

6 *Scrivi le lettere. Poi ricostruisci la frase.*

a. ____ ____ ____ ____ ____ ____ ____ ?
   ci   acca   i   a   emme   i

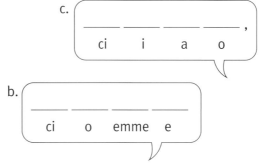

c. ____ ____ ____ ____ ____ ,
   ci   i   a   o

b. ____ ____ ____ ____ ____
   ci   o   emme   e

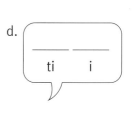

d. ____ ____ ____
   ti   i

1. _____ ▸ 2. _____ ▸ 3. _____ ▸ 4. _____

7 *Unisci le frasi di sinistra (in ordine) con quelle di destra e ricostruisci il dialogo, come nell'esempio.*

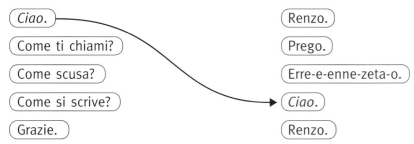

(Ciao.)   (Renzo.)

(Come ti chiami?)   (Prego.)

(Come scusa?)   (Erre-e-enne-zeta-o.)

(Come si scrive?)   (Ciao.)

(Grazie.)   (Renzo.)

8 *Completa con il verbo* chiamarsi.

1. • Come ti _____ ?   ▪ Paolo

2. • Mi _____ Antonio. E tu?   ▪ Concetta.

3. • Come si _____ l'insegnante di italiano?   ▪ Antonietta.

1 *Collega ogni parola alla foto giusta.*

(in aereo)   (in treno)   (in stazione)   (in aeroporto)

2 *Ascolta. Dove puoi sentire questo annuncio?*   **DVD** esercizi ∃

3 *Ascolta di nuovo. Numera e scrivi i nomi delle città al posto giusto nella cartina e ricostruisci il percorso del treno, come nell'esempio.*   **DVD** esercizi 3

(Bologna)   (Milano)   (~~Firenze~~)   (Napoli)   (Roma)

3. FIRENZE

4 *Unisci le domande alle risposte.*

(Come ti chiami?)   (A Milano.)
(Di dove sei?)   (Antonio.)
(Dove vai?)   (28.)
(Quanti anni hai?)   (Di Venezia.)

5 *Completa il dialogo con il presente dei verbi* **essere** *e* **andare**.

• Scusa! _____ libero questo posto?
■ Sì, prego.
• Grazie. Dove _____ ?
■ Io?
• Sì.
■ _____ a Roma.
• Anch'io _____ a Roma.
■ Ah.
• Però non _____ di Roma. _____ di Napoli.

6 *Completa il testo con le parole della lista.*

(a)   (anche)   (di)   (è)   (è)   (studentessa)   (va)

Paolo _____ un insegnante. È _____ Napoli e ha 30 anni.
Paolo va _____ Roma per la manifestazione contro l'inquinamento.
_____ Pilar va a Roma. _____ spagnola ma vive in Italia da dieci anni.
Pilar ha 25 anni ed è una _____ . _____ a Roma perché ha un esame all'università.

7   *Completa le 4 vignette con le parole della lista.*   grazie   prego   scusa

esercizi | unità 2

1   *Ricomponi le domande a sinistra e collegale alle risposte a destra.*

a Roma / perché / vai   ▶   _____ ?   37.

anni / hai / quanti   ▶   _____ ?   0688347456.

di telefono / mi dai / numero / il tuo   ▶   _____ ?   Per turismo.

2   *Scegli il* **verbo** *giusto. Poi ordina i messaggi, come negli esempi.*

MESSAGGIO n° _2_   (quote)
▸ Raffi.TX
Noooo! In Puglia fa troppo caldo! Io invece (**vado** / vai / va) in montagna. Una mia amica (ho / hai / **ha**) una casa sulle Alpi, a Canazei: (sono / sei / **è**) un posto bellissimo! Due settimane di trekking e escursioni. Fantastico!

MESSAGGIO n° ___   (quote)
▸ Libellulaoo
Ciao a tutti! (**Mi chiamo** / Mi chiami / Mi chiama) Sara, (**sono** / sei / è) di Udine.
Quest'estate (**vado** / vai / va) in Puglia. Cerco una compagna di viaggio. Periodo: 10-30 agosto.

MESSAGGIO n° ___   (quote)
▸ Libellulaoo
Allora, (**ho** / hai / ha) 24 anni, appena compiuti. Riguardo al viaggio, (**vado** / vai / va) in treno, (sono / sei / **è**) più economico. E poi... non (**ho** / hai / ha) la macchina! Fammi sapere.

MESSAGGIO n° _3_   (quote)
▸ Lidia88
Ciao, che bella la Puglia! Sì, mi interessa! Due domande: (Vado / **Vai** / Va) in treno o in macchina?
Quanti anni (ho / **hai** / ha) ? Io 22.

3   *Completa il cruciverba con i numeri, come nell'esempio.*

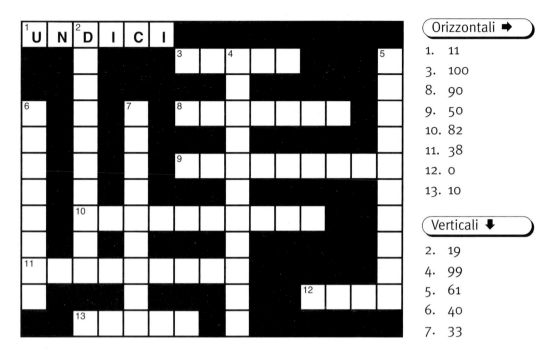

Orizzontali ➡

1. 11
3. 100
8. 90
9. 50
10. 82
11. 38
12. 0
13. 10

Verticali ⬇

2. 19
4. 99
5. 61
6. 40
7. 33

4   *Ascolta i messaggi e completa, dove possibile, le schede delle 3 persone, come nell'esempio.*   **DVD** esercizi 4

	①	②	③
Nome e cognome	*Aurora Ricci*	*Calenda*	*Rubino*
Città			
Professione			
Anni			
Telefono			

esercizi | unità 3

1   *Tre parole* evidenziate *nel primo testo sono state scambiate con tre parole* evidenziate *nel secondo testo. Rimettile in ordine, come nell'esempio.*

Palermo

Una Casa contro l'inquinamento
ore 9.00 ▸ Lungomare

Appuntamento al piazza: pizza e
bambini per tutti con l'Associazione
"Buongiorno natura".

Firenze

Giornata in mare
ore 14.00 ▸ Piazza Dallapiccola

Spettacoli e arte per grandi e vino:
una giornata di appuntamenti contro
l'inquinamento a cura della pizza
dello Studente.

2   *Scrivi al posto giusto, nelle tabelle sotto, i nomi* evidenziati, *come negli esempi.*

L'Italia non è solo Roma, Firenze e Venezia. Moltissime sono le città da visitare, ricche di *arte* e *cultura*, con chiese, musei e palazzi antichi.

NORD
MANTOVA: è la città dei laghi e del famoso Palazzo Ducale dalle stanze meravigliosamente affrescate.
PARMA: è la capitale della musica e del cibo.
TRIESTE: è una città cosmopolita, luogo d'incontro di tante nazionalità, collocata tra il mare e la montagna, al confine tra l'Italia e la Slovenia.
RAVENNA: è famosa per i mosaici delle sue chiese di epoca romanica.

CENTRO
SIENA: è la città del palio, la gara con i cavalli famosa in tutto il mondo.
PISA: è la città della torre pendente.
ASSISI: qui è nato San Francesco, il santo patrono d'Italia.

SUD
NAPOLI: è il centro più importante del Sud. Qui è nata la pizza margherita (pizza con pomodoro e mozzarella).
MATERA: è in Basilicata. È famosa per i suoi "sassi": le antiche case scavate nella roccia.
LECCE: è una piccola e vivace cittadina della Puglia, famosa per le costruzioni in stile barocco.

nomi in -o / -a	maschile		femminile	
	singolare	plurale	singolare	plurale
			cultura	

nomi in -e	maschile		femminile	
	singolare	plurale	singolare	plurale
			arte	

nomi in -à	maschile		femminile	
	singolare	plurale	singolare	plurale
				città

3   *Forma il plurale o il singolare dei nomi dell'esercizio* **2**.

4 Completa con il **plurale** dei nomi tra parentesi.

Milano

Sit in all'Università Bocconi
ore 14.30 ▸ via Sarfatti 25

Gli (*studente*) _____ delle 7
(*università*) _____ di Milano si
incontrano per 7 (*lezione*) _____
sull'ecologia.

Roma

Notte di musica
ore 22.00 ▸ Centro storico

(*Canzone*) _____ per il futuro:
i (*gruppo*) _____ di musica
popolare cantano e suonano
nelle (*strada*) _____ e nelle
(*piazza*) _____ della città.

---

5 Completa i dialoghi con le parole della lista. Poi scegli il luogo dove si svolgono.

(arrivederci)   (arrivederci)   (prego)   (pronto)   (pronto)   (scusa)

①
● _____! È libero questo posto?
■ Sì, _____!

②
● _____?
■ _____ Luca, sono Claudio.

③
● Allora io vado, _____ ragazzi!
■ _____ prof!

(a scuola)

(in treno)

(al telefono)

6 Ordina le frasi e ricostruisci la telefonata. Attenzione: <u>una frase</u> ha le parole in disordine.

● _____
■ _____
● _____
■ _____
● _____
■ _____

A Piazza del Popolo. Va bene?

Ciao! Sono alla stazione.

Pronto? Ciao Carla, sono Arturo.

ci – dove – <u>Senti:</u> – vediamo?

Ok, perfetto.

Pronto?

1 *Inserisci le battute negli spazi, al posto giusto.*

Scusa! È libero questo posto?
Dove vai?
Io sono Pilar.

Sì, prego.
Piacere. Io mi chiamo Paolo!
A Roma.

• **Ogni frase al posto giusto 3 punti**   Totale: _____ / 18

2 *Ricostruisci l'annuncio del treno. Attenzione alla punteggiatura.*

Il treno
☐ _____
☐ _____
☐ _____
☐ _____
☐ _____
☐ _____

1. a Roma, Firenze, Bologna e Milano.
2. dal binario 1.
3. delle 8 e 22
4. è in partenza
5. Eurostar 9405
6. Ferma

• **Ogni parte al posto giusto 2 punti**   Totale: _____ / 12

3 *Completa le domande con i* **verbi** *mancanti e unisci ogni domanda alla risposta corretta, come nell'esempio.*

1. Come ti _____ ?
2. Di dove _____ ?
3. Da dove _____ ?
4. Quanti anni _____ ?
5. Mi _____ il tuo numero di telefono?
6. Come si scrive Paolo?

a. 2298132476.
b. Napoli.
c. Paolo.
d. Pi-a-o-elle-o.
e. *Roma.*
f. 35.

1 / _____ ▸ 2 / _____ ▸ 3 / _e_ ▸ 4 / _____ ▸ 5 / _____ ▸ 6 / _____

• **Ogni verbo corretto 4 punti** • **Ogni abbinamento corretto 1 punto**   Totale:_____ / 25

4 *Completa con i* **verbi** *negli spazi* _____ *e con i* **nomi** *della lista negli spazi* _ _ _ _ _ _ _.

(Circo)

(giornata)

(inquinamento)

(mondo)

(parole)

Per il nostro futuro!

Il 25 giugno (*essere*) _____
la giornata contro l'_ _ _ _ _ _ _.
A Roma la Manifestazione nazionale
(*andare*)_____ da Piazza della
Repubblica al _ _ _ _ _ _ _ Massimo.

L'organizzatore della _ _ _ _ _ _ _ è
un giovane blogger, (*avere*)_____
25 anni e (*chiamarsi*)_____
Franco Rossi. Queste le _ _ _ _ _ _ _
del suo blog: "(*Avere*)_____
un sogno, un _ _ _ _ _ _ _ pulito!".

• Ogni verbo corretto 2 punti • Ogni nome corretto 1 punto   Totale: _____ / 15

5 *Completa il testo con i* **nomi** *della lista. Attenzione: i nomi della lista sono al singolare.*

(bambino) (cinema) (Centro) (città) (giornata) (gondola) (lezione) (mare)

(mondo) (musica) (Piazza) (strada) (studente) (teatro) (università)

CONTRO L'INQUINAMENTO! PER IL NOSTRO FUTURO

sabato 25 giugno • 8 appuntamenti in 7 città

Palermo
Una pizza contro l'inquinamento
ore 9.00 • Lungomare

Appuntamento al _____: pizza
e vino per tutti con l'Associazione
"Buongiorno natura".

Milano
sit in all'Università Bocconi
ore 14.30 • via Sarfatti 25

Gli _____ delle 7 _____
di Milano si incontrano per 7
_____ sull'ecologia.

Genova
Partita di calcio
ore 21.00 • Stadio Ferraris

Partita di calcio con le star
del _____ e della televisione.

Firenze
Giornata in piazza
ore 14.00 • Piazza Dallapiccola

Spettacoli, arte e musica per grandi
e _____: una _____ di
appuntamenti contro l'inquinamento
a cura della Casa dello Studente.

Roma
Manifestazione nazionale
ore 10.00 • _____
della Repubblica

Per dire NO all'inquinamento!
Da Piazza della Repubblica
al Circo Massimo.

Roma
Notte di musica
ore 22.00 • _____ storico

Canzoni per il futuro: i gruppi
di _____ popolare cantano
e suonano nelle _____ e
nelle piazze della città.

Venezia
100 gondole per un mondo pulito
ore 21.00 • Canal Grande

100 _____ per un mondo
pulito nella _____ più bella
del _____: da Rialto a Piazza
San Marco.

Napoli
Lezione di teatro
ore 19.30 • via Roma

Al _____ "Roma" lezioni
di teatro gratis per tutti.

• Ogni nome corretto e al posto giusto 2 punti   Totale: _____ / 30

☞ Totale test: _____ / 100

Cosa so fare?

Attirare l'attenzione di qualcuno. ☐ ☐ ☐

Salutare. ☐ ☐ ☐

Chiedere e dire il nome, l'età, ☐ ☐ ☐
la provenienza, la destinazione,
il numero di telefono.

Chiedere scusa. ☐ ☐ ☐

Ringraziare e rispondere. ☐ ☐ ☐

Iniziare una conversazione telefonica. ☐ ☐ ☐

Contare fino a 100. ☐ ☐ ☐

Chiedere e suggerire il luogo ☐ ☐ ☐
di un appuntamento.

Capire testi brevi e sintetici ☐ ☐ ☐
come volantini o brochure.

Cosa ho imparato

Pensa a quello che hai imparato e scrivi...

• 5 parole o espressioni molto utili:

• una parola, espressione o regola molto difficile:

• una forma tipica della lingua parlata:

• una curiosità culturale sull'Italia e gli italiani:

Cosa faccio... | studiare l'italiano

1 *Inserisci nei tre riquadri le cose che fai in classe quando studi l'italiano.*

1. Lavorare da solo.

2. Lavorare in gruppo.

3. Giocare.

4. Lavorare in coppia.

5. Studiare la grammatica.

6. Usare domande in italiano
   (*Come si dice?*, *Che significa?*, *Come, scusa?*, ecc.).

7. Leggere un testo in italiano.

8. Ascoltare un dialogo in italiano.

È molto utile!

Non è utile!

Non so.

2 *Lavora con un gruppo di compagni e scegliete la cosa più utile e la cosa meno utile.*

Mi metto alla prova | creare un profilo su Facebook

Vai sul sito http://it-it.facebook.com e crea il tuo profilo in italiano.
Se hai già un profilo nella tua lingua, usa un avatar. Utilizza il tuo nuovo profilo per comunicare
con i tuoi compagni di corso o con altre persone che parlano e/o studiano italiano.

1   *Unisci le domande a sinistra alle risposte a destra.*

Avete posto per due persone?	La camera doppia costa 60 euro a notte.
Avete una camera singola?	Il 44.
Qual è il prezzo?	No, abbiamo solo una camera doppia.
Quale autobus dobbiamo prendere?	Sì, abbiamo una camera matrimoniale con bagno.

2   *Completa le due e-mail. Inserisci negli spazi _____ i verbi **essere** e **avere** e negli spazi _ _ _ _ _ _ _ le espressioni della lista.*

Buongiorno,   Cordiali saluti.   Gentile signora Pettinari,   Grazie.

a

A: reception123@yahoo.it

Oggetto: informazioni

_ _ _ _ _ _ _
vorrei alcune informazioni per affittare una stanza
nel vostro albergo. Io e mio marito arriviamo a Genova
venerdì 24 maggio. (Voi) _____ una stanza
matrimoniale per due notti?

_ _ _ _ _ _

Francesca Pettinari

b

A: francescapettinari@yahoo.it

Oggetto: Re: informazioni

_ _ _ _ _ _ _
in quel periodo l'albergo _____ pieno
e (noi) _____ solo una stanza doppia con bagno.
La stanza _____ molto bella e _____
una bella finestra con vista sul mare.

_ _ _ _ _ _

Rosario Di Mario | Albergo Sole, Genova

3   *Questo dialogo è in disordine. Metti le frasi nell'ordine corretto, come nell'esempio.*

Suor Caterina

1	Bene. Allora la vostra stanza è la numero 3. Ecco la chiave.
☐	La colazione...
☐	Domani mattina dalle 7.00 alle 10.00.
☐	Sì, scusate però, un'ultima cosa...

Giulia

☐	Grazie.
☐	Perfetto, grazie sorella. Arrivederci.
☐	A che ora è?
☐	Sì, cosa?

4 Unisci ogni punto con un numero immediatamente più alto. Comincia da 100 e arriva a 1000. Attenzione: alcuni numeri sono sbagliati e non li devi unire agli altri. Poi scrivi nel giusto ordine le lettere evidenziate. Scoprirai il nome dell'animale del disegno.

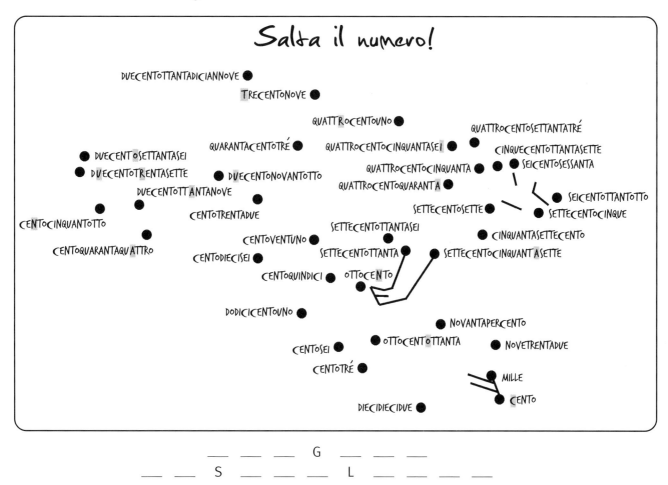

Salta il numero!

___ ___ ___ G ___ ___ ___

___ ___ S ___ ___ ___ L ___ ___ ___ ___

5 Conosci questi artisti? Scrivi la loro nazionalità.

1. William Shakespeare è _____. (*Inghilterra*)
2. Ludwig Van Beethoven è _____. (*Germania*)
3. Shikibu Murasaki è _____. (*Giappone*)
4. Penelope Cruz è _____. (*Spagna*)
5. Edvard Munch è _____. (*Norvegia*)
6. Dante Alighieri è _____. (*Italia*)
7. Vladimir Majakovskij è _____. (*Russia*)
8. Gong Li è _____. (*Cina*)
9. Juliette Binoche è _____. (*Francia*)
10. Vinícius de Moraes è _____. (*Brasile*)
11. Fernando Botero è _____. (*Colombia*)
12. Wolfgang Amadeus Mozart è _____. (*Austria*)
13. David Cronenberg è _____. (*Canada*)
14. Nicole Kidman è _____. (*Australia*)

6 *Completa il testo con i verbi al* **presente**.

blog

La meta della mia gita *(essere)* _____ la bellissima città di Roma.
Il treno Eurostar Milano – Roma *(partire)* _____ alle 7.00 e *(arrivare)*
_____ alle 10.30. A Roma *(io-prendere)* _____ la metropolitana
e *(scendere)* _____ alla stazione Lepanto. *(Raggiungere)* _____
l'Albergo della Gioventù. L'albergo *(costare)* _____ circa 15 euro a persona
per notte. Dopo l'arrivo, io e i miei amici facciamo una passeggiata.
(Vedere) _____ lo Stadio Olimpico, lo Stadio dei Marmi, il Palazzetto dello Sport e anche
l'Osservatorio Astronomico di Monte Mario. *(Andare)* _____ anche a vedere il Tevere, il fiume
che *(attraversare)* _____ Roma. La sera sono molto stanco, i miei amici *(andare)* _____
a ballare in discoteca e io *(cercare)* _____ un posto dove mangiare e alla fine *(tornare)*
_____ a dormire: domani sarà un giornata molto intensa.

www.icmarcallo.it

esercizi | unità 5

1 *Completa le domande a sinistra con gli* **interrogativi** *della lista. Poi collega ogni domanda alla risposta corretta a destra.*

(Che) (Come) (Dove) (Perché) (Quale) (Quando)

▶ _____ si chiama il fidanzato di Giulia?   ■ È mezzanotte.

▶ _____ autobus devo prendere?   ■ Dalla mattina presto fino alle 13.00.

▶ _____ ore sono?   ■ Mauro.

▶ _____ Chiara e Mauro sono a Roma?   ■ Nel nord Italia.

▶ _____ si trova Milano?   ■ Per la manifestazione.

▶ _____ si dice "Buongiorno"?   ■ Il 3.

2 *Completa la storia di Caravaggio con le* `congiunzioni` *e gli* **articoli** *corretti.*

Caravaggio nasce nel 1571, vicino Milano. Nel 1595
è a Roma. Qui dipinge molte opere religiose
`e / ma` diventa un artista famoso. `E / Ma` forse
(la / il / le) sua arte è troppo "sensuale" `e / ma`
poco adatta alla rappresentazione sacra. La sua tecnica
(detta "chiaroscuro") evidenzia (le / i / lo) contrasti
di luce. (Le / Gli / L') arte di Caravaggio è
rivoluzionaria per (i / le / il) suo tempo.
Nel 1606 uccide (un / una) uomo in (un / un') duello.
Ricercato dalla polizia, deve fuggire.
Il 18 luglio 1610, solo e malato, Caravaggio muore a
39 anni, sulla spiaggia di Porto Ercole, in Toscana.

3 *Riscrivi la frase mettendo in ordine le parti della colonna a destra, come negli esempi.*

1 Salve,	1. *Salve,*
☐ _____	2. vorrei
☐ _____	3. leggo sul vostro sito
☐ _____	4. le camere all'interno
☐ _____	5. del convento e
☐ _____	6. che è possibile affittare
7 alcune informazioni	7. *alcune informazioni.*

4 *Unisci gli orari agli orologi corrispondenti, come nell'esempio.*

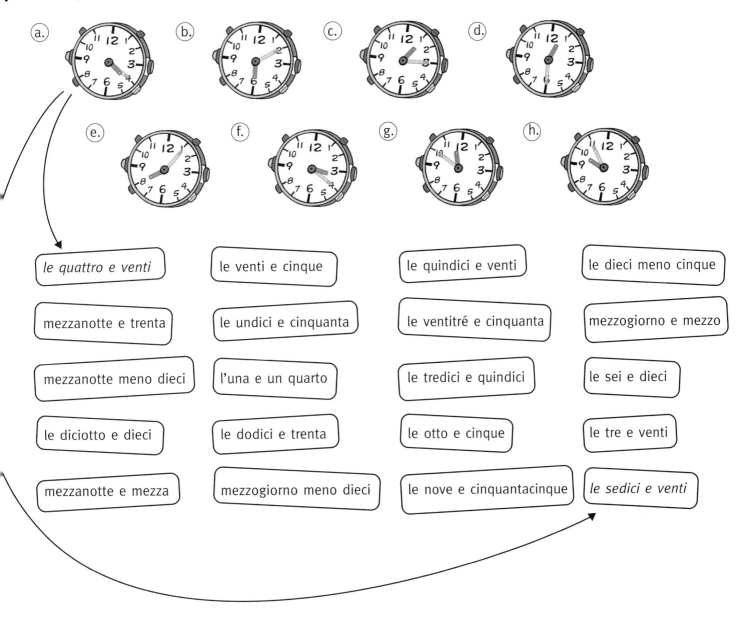

le quattro e venti   le venti e cinque   le quindici e venti   le dieci meno cinque

mezzanotte e trenta   le undici e cinquanta   le ventitré e cinquanta   mezzogiorno e mezzo

mezzanotte meno dieci   l'una e un quarto   le tredici e quindici   le sei e dieci

le diciotto e dieci   le dodici e trenta   le otto e cinque   le tre e venti

mezzanotte e mezza   mezzogiorno meno dieci   le nove e cinquantacinque   *le sedici e venti*

5 *Disegna le lancette degli orari evidenziati e collega gli orologi agli orari giusti nei testi.*

Pinacoteca di Brera
Via Brera, 28, Milano
Orario di apertura:
Martedì ▸ Domenica dalle 8.30 alle 19.15.
La biglietteria chiude alle 18.30.

Museo e Galleria Borghese
Piazzale del Museo Borghese 5, Roma
Orario di apertura:
Martedì ▸ Domenica dalle ore 8.30 alle 19.30.
La biglietteria chiude alle 18.30.

Galleria degli Uffizi
Piazzale degli Uffizi 6, Firenze
Orario di apertura:
Martedì ▸ Domenica: dalle 8.15 alle 18.50
Visite guidate al Corridoio Vasariano:
il martedì e il giovedì alle 9.00 e alle 11.30,
il mercoledì e il venerdì alle 14.00 e alle 16.30.

1 *Completa il testo con gli **aggettivi** della lista.*

(antiche)   (deliziose)   (matrimoniale)   (panoramica)   (piccola)   (romantico)   (straordinaria)

A Bologna l'albergo con una sola camera.
Dentro la Torre Prendiparte, a Bologna, c'è un Bed & Breakfast con una sola camera da letto!
La torre ha 11 piani:
1° piano • Qui c'è la camera per gli ospiti del Bed & Breakfast, con un soggiorno in stile '700
e un elegante letto _____ .
2° piano • Il piano è occupato da una _____ cucina.
3° piano • Tutto il piano è un _____ ristorante con un solo tavolo, dove
i clienti possono mangiare _____ cene a lume di candela.
4° piano • Nello spazio delle _____ prigioni, ora troviamo una sala
per ricevimenti.
5° / 10° piano • Sono cinque piani di scale per salire alla terrazza.
11° piano • Qui c'è la terrazza _____ , con una vista _____
sulla città, da un'altezza di 60 metri.

www.stile.it

Per ogni frase, trova l'aggettivo usato in modo inappropriato.

Nel Bed & Breakfast della Torre Prendiparte a Bologna:

1. L'ambiente è (accogliente – elegante – intimo – matrimoniale).
2. La cena è (deliziosa – abbondante – panoramica – buona).
3. Il ristorante è (romantico – gentile – piccolo – intimo).
4. La camera da letto è (professionale – tranquilla – pulita – silenziosa).
5. La colazione è (abbondante – buona – calda – nuova).
6. La sala ricevimenti è (abbondante – grande – accogliente – bella).

Completa il testo con i verbi al **presente**.

Campeggio Campo All'oca ✷✷
Ambiente naturale e atmosfera rilassante. (*Io – Consigliare*) _____ il Camping Campo All'oca a tutti quelli che (*loro – cercare*) _____ il contatto diretto con la natura. Il campeggio (*offrire*) _____ un meraviglioso panorama del Parco nazionale delle Foreste Casentinesi. (*Essere*) _____ lontano dal centro storico ma (*essere*)_____ molto facile andare a Firenze con l'autobus.

Ascolta la trasmissione televisiva molte volte e rispondi alle domande.   **DVD** esercizi 5

1. La trasmissione parla di una stanza fatta di cioccolato. Dove è questa stanza?
☐ In una casa privata di un grande Chef italiano.
☐ In un grande albergo di Milano.
☐ In una pasticceria di Firenze.

2. Cosa usano per fare la stanza di cioccolato?

☐ Cioccolato al latte	☐ Cioccolato bianco	☐ Cioccolato nero
☐ Cioccolato fondente	☐ Colore nero	☐ Cioccolato 64%
☐ Burro di cacao	☐ Fragola	☐ Latte in polvere

Completa il testo con i verbi al **presente** *e con le terminazioni corrette degli aggettivi* **evidenziati**.

Il Four Seasons, l'hotel di lusso in zona Montenapoleone a Milano, (*creare*) _____ ogni domenica una stanza di cioccolato. Tutte le pareti (*essere*) _____ fatte con il cioccolato e (*avere*) _____ diversi colori, con giochi **tridimensional___** di foglie e animali **tropical___** e una grande quantità di forme e profumi. Il brunch (*offrire*) _____ prodotti di prima qualità: un **eccellent___** antipasto di pesce **crud___** e uova, un primo **abbondant___**, un secondo e dei formaggi. I **fortunat___** clienti (*chiudere*) _____ il loro brunch proprio nella stanza di cioccolato, dove (*avere*) _____ a disposizione **molt___** tipi di torte, dolci, cioccolatini, creme, biscotti e mousse.
www.milano.repubblica.it

1 *Completa con i verbi al* **presente** *negli spazi* _____ *e con le espressioni* **dalle** *e* **alle** *negli spazi* _ _ _ _

Dov'è: l'Hotel Vittoria è situato in posizione panoramica sul golfo di Napoli, a 200 mt dal mare.

Camere: l'albergo (*avere*) _____ 32 camere matrimoniali e 8 singole arredate con gusto ed eleganza. Tutte le camere (*avere*) _____ la tv e l'aria condizionata.

Prezzi: la camera matrimoniale (*costare*) _____ 110 euro, la singola 95 euro. (*Essere*) _____ compresa la prima colazione. I bambini sotto i 3 anni non (*pagare*) _____ . Sono previsti sconti per gruppi e famiglie.

Pasti: la colazione è _ _ _ _ 7.45 _ _ _ _ 10.00. Per il pranzo funziona un servizio bar con piatti freddi. La sera il ristorante (*aprire*) _____ _ _ _ _ 19.30 e (*chiudere*) _____ _ _ _ _ 22.00. Il menu (*presentare*) _____ piatti della tradizione locale, a base di carne e di pesce. A richiesta è possibile preparare menu vegetariani.

Servizi: l'albergo dispone di ristorante, piscina, sauna, sala fitness e parcheggio privato. I servizi di piscina, sauna e sala fitness (*essere*) _____ gratuiti e riservati ai clienti dell'hotel.

Massaggi e trattamento viso: una sala massaggi e un centro estetico (*completare*) _____ i servizi dell'hotel. Prezzi: massaggio singolo / 90 euro, pacchetto 7 massaggi / 595 euro. Trattamento viso: pacchetto 5 trattamenti / 215 euro.

Lingue: il personale (*parlare*) _____ inglese, francese e tedesco.

> • Ogni spazio corretto 2 punti   Totale: ____ / 30

2 *Scrivi in lettere i* **numeri** *e le* **ore** *del testo precedente.*

200	_____	3	_____	90	_____
32	_____	7.45	_____	7	_____
8	_____	10.00	_____	595	_____
110	_____	19.30	_____	5	_____
95	_____	22.00	_____	215	_____

> • Ogni spazio corretto 2 punti   Totale: ____ / 30

Completa con gli **aggettivi** *alla forma giusta negli spazi* _____ *e con gli* **aggettivi** *di nazionalità negli spazi* _ _ _ _ _ _.

La Gioconda, o Monna Lisa, è un'opera (*famoso*) _____ in tutto il mondo. Dipinta tra il 1503 e il 1506 da Leonardo da Vinci, rappresenta una donna (*misterioso*) _____ che guarda con un'espressione (*enigmatico*) _____ lo spettatore. Ma chi è Monna Lisa? Le ipotesi sono molte: per alcuni è Lisa Gherardini, moglie del commerciante (*fiorentino*) _____ Francesco del Giocondo, per altri è una signora (*napoletano*) _____, per altri ancora è solo un modello di donna (*rinascimentale*) _____ senza riferimenti a una persona (*reale*) _____. L'opera (*originale*) _____ è esposta a Parigi nel museo del Louvre, ma esistono anche moltissime copie d'autore: le più conosciute si trovano nei musei di Roma, Madrid, Londra, Innsbruck, Monaco, Baltimora, Tours, e in collezioni (*privato*) _____.
Anche alcuni artisti d'avanguardia hanno realizzato copie (*importante*) _____ della Gioconda: il pittore (*Russia*) _ _ _ _ _ _ Kazimir Malevic, il pittore (*Francia*) _ _ _ _ _ _ _ Marcel Duchamp, il pittore (*Germania*) _ _ _ _ _ _ Max Ernst, il pittore (*Spagna*) _ _ _ _ _ _ Salvador Dalì e il pittore (*Colombia*) _ _ _ _ _ _ _ Fernando Botero.

> • Ogni aggettivo corretto 1 punto • Ogni aggettivo di nazionalità corretto 2 punti   Totale: ____ / 20

Ricomponi la mail a sinistra: scegli l'espressione giusta e riscrivi nell'ordine giusto le parole a destra.

A: reception123@yahoo.it
Oggetto: informazioni

(Salve / Cordiali saluti,)
_____.   ◄ (inglese – ragazza – sono – una)
Vorrei alcune informazioni:
_____ notti?   ◄ (avete – camera – due – per – singola – una)
Arrivo il 4 gennaio e parto il 6.
(Come / Qual) _____?   ◄ (è – il – prezzo)
La _____?   ◄ (colazione – compresa – è – prima)
Ancora due informazioni: (che / come) faccio
ad arrivare all'albergo dalla stazione?
(Dove / Quale) _____?   ◄ (autobus – devo – prendere)
(Grazie / Prego.)

> • Ogni espressione corretta 1 punto • Ogni frase ricostruita in modo corretto 3 punti   Totale: ____ / 20

☞ Totale test: ____ / 100

Cosa so fare?

Chiedere qualcosa in modo gentile. ☐ ☐ ☐

Indicare la nazionalità. ☐ ☐ ☐

Chiedere e dire l'ora. ☐ ☐ ☐

Chiedere e indicare la durata di un'azione. ☐ ☐ ☐

Chiedere e dare informazioni su alberghi ☐ ☐ ☐
e mostre.

Chiedere come si arriva in un posto. ☐ ☐ ☐

Chiedere e dire il prezzo. ☐ ☐ ☐

Descrivere una stanza d'albergo. ☐ ☐ ☐

Indicare i colori. ☐ ☐ ☐

Contare fino a 1000. ☐ ☐ ☐

Leggere un forum per turisti. ☐ ☐ ☐

Cosa ho imparato

Pensa a quello che hai imparato e scrivi...

• 5 parole o espressioni molto utili:

• una parola o un'espressione strana:

• una forma tipica della lingua parlata:

• una curiosità culturale sull'Italia e gli italiani:

Cosa faccio... | cercare un alloggio con internet

1 *Vuoi dormire a Roma e cerchi un alloggio su vari siti internet. Quali sono le cose che attirano di più la tua attenzione? Scrivi un numero da 1 (più interessante) a 6 (meno interessante) negli spazi.*

le foto _____   le presentazioni scritte _____

i giudizi scritti dei clienti _____   la posizione nella mappa _____

i prezzi _____   le presentazioni video _____

le interviste audio ai proprietari e ai clienti _____   la musica _____

2 *Rifletti sul tuo modo di ricercare informazioni e confrontati con i compagni. Che differenze ci sono? Quali sono i canali che usate di più?*

☐ testo

☐ immagini fisse (foto, disegni, ecc.)

☐ audio (interviste, presentazioni, ecc.)

☐ musica

☐ video

Mi metto alla prova | scrivere una recensione

Vai su www.tripadvisor.com e scrivi una breve recensione di un luogo che hai visitato (albergo / campeggio / pensione / ecc.).

1 *Completa il testo con i verbi al* **presente**.

Marino e Glauco si conoscono all'esame di ammissione all'Arma e (*diventare*) _____ grandi amici. Tutto va bene, fino a quando (*conoscere*) _____ Rita, che si innamora di Glauco. I due vogliono sposarsi e Marino, anche lui innamorato di Rita, (*preferire*) _____ andare in un'altra città. Glauco lo (*raggiungere*) _____ e lo aiuta a risolvere alcune missioni importanti e pericolose. Il film (*finire*) _____ bene: i due carabinieri (*tornare*) _____ amici e Marino (*accettare*) _____ la nuova situazione. Finalmente Glauco e Rita possono sposarsi.

2 *Completa il testo con gli* **articoli** *della lista.*

(gli)   (il)   (il)   (il)   (l')   (la)   (la)

Vincenzo Lipari fa ____ insegnante e, dopo tanti anni, non sopporta più ____ studenti e odia ____ suo lavoro. Ma un giorno arriva una nuova collega: si chiama Luisa, una ex alunna dei primi anni. Grazie a questo incontro Lipari ricostruisce un nuovo rapporto con ____ sua classe e con ____ suo lavoro. ____ film vuole mostrare ____ vita dura ma affascinante dell'insegnante nella scuola italiana. È proprio il caso di dire "Auguri professore!"

*Scegli l'***articolo** *giusto e metti i verbi al* **presente**.

Davide è (il / lo) segretario particolare di un uomo politico: (*prendere*) _____ (gli / l') appuntamenti, (*ricevere*) _____ (i / le) telefonate, (*pulire*) _____ (il / lo) studio, (*comprare*) _____ (gli / i) fiori per sua moglie. Ma non solo: deve anche amministrare una grande quantità di denaro. Un giorno (*capire*) _____ che quei soldi hanno una provenienza sospetta, ma è troppo tardi.

4 *Completa le frasi con il verbo* **fare** *e riordina il dialogo.*

(n° ____ ▸ Sono impiegata in un ufficio e voi?)   (n° ____ ▸ Tu che lavoro _____ ?)

(n° ____ ▸ Io _____ l'operaio, e lei è cameriera in un ristorante.)

Ora riscrivi il dialogo del punto **4** *cambiando dove è possibile* **fare** *con* **essere** *e viceversa. Attenzione agli articoli!*

Forma le frasi come nell'esempio. Attenzione: ♂ = *maschile,* ♀ = *femminile.*

		♂ barb	aio
		♀ alberga	
	il	♂ commercial	aia
		♀ farmac	
	lo	♀ inferm	iere
Faccio		♀ libr	
	l'	♂ macell	iera
		♀ music	
		♀ parrucch	ista
	la	♂ pit	
		♂ stil	tore
		♀ tradut	trice

7   *Riscrivi l'inizio delle trame dei 3 film con i nomi dei personaggi trasformati al femminile. Cambia anche il titolo.*

♂	♀
Titolo: Segretario particolare Davide è il segretario particolare di un uomo politico.	Titolo: _____ Maria è _____ _____
Titolo: I due carabinieri Marino e Glauco si conoscono all'esame di ammissione all'Arma e diventano grandi amici.	Titolo: _____ Sabrina e Paola si conoscono _____ _____ _____
Titolo: Auguri professore Vincenzo Lipari fa l'insegnante e, dopo tanti anni, non sopporta più gli studenti e odia il suo lavoro.	Titolo: _____ Teresa Lipari fa _____ _____ _____

8   *Che lavoro fanno queste persone? Completa i testi con le professioni della lista. Attenzione: metti anche l'articolo!*

a Costruisco case e palazzi.
È un lavoro duro e faticoso.
Faccio _____ _____.

c Lavoro in teatro. La sera molte persone vengono a vedere il mio spettacolo comico.
Faccio _____ _____.

b Lavoro in casa. Cucino, pulisco, lavo i panni, faccio la spesa. Qualcuno dice che questo non è un lavoro, ma si sbaglia.
Faccio _____ _____.

d Per lavoro viaggio molto. Ho tanti appuntamenti e partecipo a lunghe riunioni.
Faccio _____ _____.

attrice

casalinga

manager

muratore

9   *Collega le colonne e completa le frasi. Attenzione, non sempre tutte le colonne devono essere collegate.*

Il	appuntamenti	è	i	case
Lo	casalinga	costruisce		comico
La	muratore	lava	le	lunghe
Gli	riunioni	sono		panni
Le	spettacolo	sono		tanti

*In ogni coppia di dialoghi alcuni elementi **evidenziati** sono stati scambiati. Correggi gli errori, come nell'esempio.*

😊😊😊	😊😊	😊	😐	☹	☹☹
benissimo / molto bene	bene	non c'è male	così così	insomma	non molto bene

 Esempio

Marco 😊😊, signor Lippi ☹

- ▪ **Ciao** Marco, come **stai**?
- ● **Bene**, grazie signor Lippi, e **tu**?
- ▪ **Benissimo**.

Gianni 😊, Antonio 😊😊😊

- ▪ **Ciao** Gianni, come **stai**?
- ● **Non c'è male**, grazie Antonio, e **Lei**?
- ▪ **Insomma**.

a signor Conti 😊😊😊, Anna 😊😊

- ▪ **Ciao** signor Conti, come **stai**?
- ● **Benissimo**, grazie Anna, e **tu**?
- ▪ **Bene**.

Toni 😊, Paola ☹☹

- ▪ **Buongiorno** Toni, come **sta**?
- ● **Non c'è male**, grazie Paola, e **tu**?
- ▪ **Non molto bene**.

b signor Porta 😊😊, signor Draghi ☹

- ▪ **Buongiorno** signor Porta, come **sta**?
- ● **Così così**, grazie signor Draghi, e **Lei**?
- ▪ **Non c'e male**.

Mario 😊, signora Bini 😐

- ▪ **Ciao** Mario, come **stai**?
- ● **Insomma**, grazie signora Bini, e **Lei**?
- ▪ **Bene**.

c signor Gatti 😊😊😊, Claudio 😐

- ▪ **Buongiorno** signor Gatti, come **sta**?
- ● **Non molto bene**, grazie Claudio, e **tu**?
- ▪ **Così così**.

signora Verdi 😊😊, signora Mauri ☹☹

- ▪ **Buongiorno** signora Verdi, come **sta**?
- ● **Bene**, grazie signora Mauri, e **Lei**?
- ▪ **Molto bene**.

Riordina le frasi a destra (dove c'è la fotografia scrivi il nome della bevanda). Poi metti le frasi al posto giusto a sinistra e ricomponi il dialogo, come nell'esempio.

io – prendo – un

- ● _____?
- ▪ <u>Per me un caffè.</u>

me – per – un

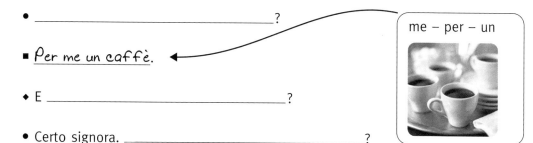

- ◆ E _____?

- ● Certo signora. _____?

- ▲ _____.

avere – io – posso – un

cosa – e – Lei – signor Berti – prende

buongiorno – cosa – prendete – signori,

3 *Scegli la preposizione e il verbo modale giusti e metti gli altri verbi al presente.*

LA STAMPA

QUOTIDIANO FONDATO NEL 1867

LUNEDÌ 20 ▪▪▪▪▪ • 1,00 € IN ITALIA (PREZZI PROMOZIONALI ED ESTERO IN ULTIMA) SPEDIZIONE ABB. POSTALE - D.L. 353/03 (CONV. IN L. 27/02/04) ART. 1 COMMA 1, DCB - TO **www.lastampa.it**

(*Voi – Conoscere*) _____ il detto "volere è potere"? In questo caso è vero. Questa storia inizia cinque anni fa, quando McDonald's (*arrivare*) _____ (a / in) Puglia e (*decidere*) _____ di aprire un suo spazio (a / in) Altamura, una cittadina di 65.000 abitanti. La novità (*avere*) _____ subito un grande successo: la maggior parte della gente infatti ha visto un fast-food solo in televisione e così il nuovo McDonald's registra ogni giorno il "tutto esaurito". Al punto che, per mangiare un Big Mac, le persone (devono / possono / vogliono) prendere il ticket e fare una lunga fila. Ma a questo punto (*succedere*) _____ qualcosa di imprevisto. Luca Digesù, un giovane panettiere del posto, (*aprire*) _____ una piccola bottega nella stessa piazza. Il panettiere (*abbassare*) _____ subito i prezzi e (*moltiplicare*) _____ l'offerta: focacce, focaccine, pizze e panini di tutti i tipi. Naturalmente tutto preparato con prodotti locali e genuini. Digesù (*capire*) _____ che la sua è la scelta giusta quando i genitori, dopo aver accompagnato i bambini (a / da) McDonald's, (*andare*) _____ (a / da) mangiare qualcosa di buono (a / da) lui.

In poche settimane la "corrente" dei clienti s'inverte e la piccola bottega (*cominciare*) _____ a riempirsi di clienti insoddisfatti dei Big Mac. Infatti tutti (devono / possono / vogliono) mangiare la meravigliosa "focaccia" locale di farina di grano duro, spessa e spugnosa, condita con l'olio di oliva e il pomodoro fresco. McDonald's, per recuperare le perdite, (*inventare*) _____ nuove promozioni, moltiplica le feste per bambini, cambia direttore. Ma non (deve / può / vuole) fare niente per cambiare le cose: davanti ai prodotti di qualità di un piccolo fornaio, il gigante americano (deve / può / vuole) chiudere.

4 Trasforma il testo a sinistra cambiando i **soggetti** e i **verbi**, come nell'esempio a destra.
Poi elimina dal puzzle i verbi modali che utilizzi e scrivi nell'ordine le lettere rimaste.
Scoprirai il soprannome della città di Altamura.

Per mangiare un Big Mac, **le persone** devono prendere il ticket e fare una lunga fila. Ma una piccola bottega apre nella stessa piazza e **tutti vogliono** mangiare la meravigliosa "focaccia". **McDonald's** non **può** fare niente per cambiare le cose: davanti ai prodotti di qualità di un piccolo fornaio, **il gigante americano** deve chiudere.

www.lastampa.it

✎ **Esempio**
Le persone / tutti ▸ **io**
McDonald's / il gigante americano ▸ **tu**

Per mangiare un Big Mac, **io** devo prendere il ticket e fare una lunga fila. Ma una piccola bottega apre nella stessa piazza e **io voglio** mangiare la meravigliosa "focaccia". **Tu** non **puoi** fare niente per cambiare le cose: davanti ai prodotti di qualità di un piccolo fornaio, **tu devi** chiudere.

a le persone / tutti ▸ **tu**
McDonald's / il gigante americano ▸ **io**

b le persone / tutti ▸ **voi**
McDonald's / il gigante americano ▸ **loro**

c le persone / tutti ▸ **noi**
McDonald's / il gigante americano ▸ **voi**

d le persone / tutti ▸ **lui**
McDonald's / il gigante americano ▸ **noi**

▸ Il soprannome è

___ ___ ___ ___ ___ ___ ___ ___ ___ ___

___ ___ ___ ___ ___ ___ ___ ___

P	V	O	G	L	I	A	M	O	D	D	L
O	D	D	A	D	L	E	D	O	O	O	N
S	E	E	E	P	■		O	S	V	B	V
S	V	V	S	V	U	P	B	D	E	B	O
O	I	O	A	I	O	O	B	E	T	I	L
D	D	E	V	O	I	T	I	V	E	A	E
V	U	O	I	I	P	E	A	O	U	M	T
D	O	V	E	T	E	T	M	N	G	O	E
V	O	G	L	I	O	E	O	O	L	I	A
P	O	S	S	O	N	O	V	U	O	L	E
P	O	S	S	I	A	M	O	D	E	V	E

5 Completa il testo con le **preposizioni** della lista.

(a) (con) (da) (in)

PIZZA, SCHIACCIATA E FOCACCIA

____ Italia, si sa, i posti dove mangiare una buona pizza sono molti. Ogni città ha le sue specialità.
____ Roma, per esempio, potete mangiare dell'ottima pizza bianca e rossa non solo in pizzeria ma anche dal fornaio. ____ Firenze e in generale in tutto il centro Nord, la pizza bianca del fornaio si chiama schiacciata o focaccia. Ma la capitale della pizza è Napoli. Andare ____ mangiare una pizza ____ Michele, in via C. Sersale, è un'esperienza indimenticabile. Questa pizzeria, fondata nel 1870 dal pizzaiolo Michele, è piccolissima e sempre piena di gente. Le specialità sono due: la classica *margherita* (____ il pomodoro e la mozzarella di bufala) e la *marinara* (____ pomodoro, aglio e origano).

1   *Ascolta e scegli il titolo giusto.*

DVD esercizi

☐ Apre il primo supermercato per anziani.
☐ Un paese senza negozi.
☐ Apre un piccolo negozio e il supermercato deve chiudere.

2   *Riascolta molte volte e scegli le affermazioni giusta.*

DVD esercizi

1. Cavallasca è
☐ un supermercato.
☐ un paese vicino Como.
☐ un paese in Svizzera.

2. Cavallasca
☐ ha
☐ non ha   un panificio, una salumeria, un minimarket e un fiorista.

3. Il supermercato va bene
☐ per le persone anziane.
☐ per i giovani.

4. Cavallasca ha
☐ 0
☐ 1
☐ 2   supermercati.
☐ 3

5. Davanti al Comune c'è
☐ un mercato.
☐ un supermercato.

6. Per andare al supermercato
☐ è necessaria
☐ non è necessaria   la macchina.

3   *Collega dove necessario le parole di sinistra con le parole di destra e ricomponi il listino del bar, come nell'esempi*

caffè
caffè
cappuccino
cioccolata
tè
cornetto
pasta
latte
panino
toast
tramezzino
acqua
succo
spremuta

calda
d'arancia
di frutta
freddo
freddo
macchiato
macchiato
minerale

4 *Ricomponi i due dialoghi, uno al* **formale** *e l'altro all'***informale***. Attenzione: usa una volta le frasi* sottolineate *e due volte le frasi* evidenziate*, come negli esempi.*

Formale (Lei)		Informale (tu)
■ _____ _____	◆ Arrivederci signora, a presto.	■ _____ _____
● *Certo! Prego.* ←	◆ **Sono 7 euro.**	● *Certo! Prego.* _____
■ _____ _____	◆ Sì, signora. Mi dispiace.	■ _____ _____
	◆ Ciao Anna, a presto.	
● _____ _____	◆ *Certo! Prego.*	● _____ _____
	◆ Scusi... posso chiedere un'informazione?	
■ _____ _____	◆ Ok, arrivederci Roberto.	■ _____ _____
	◆ **Perfetto. Ecco i 3 di resto.**	
● _____ _____	◆ **I tramezzini sono finiti?**	● _____ _____
	◆ *Ecco, tenga.*	
■ *Ecco, tenga.* ←	◆ Scusa... posso chiedere un'informazione?	■ *Ecco, tieni.* _____
● _____ _____	◆ Sì, Anna. Mi dispiace.	● _____ _____
	◆ **Allora vorrei un panino e un succo di frutta. Quant'è?**	
■ _____ _____	◆ Ok, ciao Roberto, ci vediamo.	■ _____ _____
● _____ _____	◆ *Ecco, tieni.*	● _____ _____

5 *Completa il testo con gli* **articoli indeterminativi.**

Il Baretto è _____ bar che offre la classica colazione alla romana (cappuccino e cornetto), ma anche
_____ ampia scelta di paste, dolci e crostate. A pranzo è possibile mangiare _____ panino o _____ tramezzino
preparato con arte da Loredana, _____ simpatica signora di sessant'anni che gestisce il locale insieme al
marito. Ma chi vuole qualcosa di più consistente può ordinare _____ insalata mista o _____ piatto caldo.
Il bar ha anche _____ spazio esterno, con 5 tavoli sempre occupati dagli avventori che non mancano mai
in questo delizioso locale situato in _____ caratteristica via del centro di Roma. Vivamente consigliato a chi
ama i luoghi di una volta.

6 *Metti l'***articolo indeterminativo** *davanti alle parole dell'esercizio* **3.**

1 *Trova in ogni riga + la parola in più e inseriscila nella riga superiore (nella riga –), come nell'esempio.*

– • Buongiorno.
+ ▸ Buongiorno Alberto, come stai (ragazzi)?
– • C'è male, grazie.
+ ▸ Non posso avere un caffè macchiato?
– • Certo. Ecco. E tu Giulia cosa?
+ ■ Per me prendi un succo di frutta.
– ◆ Scusa, posso un'informazione?
+ • Sì, chiedere prego.

– ◆ I cornetti al sono finiti?
+ • Sì, cioccolato mi dispiace.
– ◆ Allora uno strudel. Quant'è?
+ • Vorrei sono 3 euro.
– ◆ Ecco. Ho euro.
+ • Grazie. Ecco i 17 di 20 resto.
– ◆ Perfetto. Ciao, presto.
+ • Ciao, a ci vediamo.

> • Ogni parola inserita correttamente 2 punti   Totale: _____ / 16

2 *Trasforma il dialogo del punto* **1** *dall'informale (tu) al formale (Lei).*

• Buongiorno signori.
▸ Buongiorno signor Alberto, _____
• _____
▸ _____
• _____
■ _____
◆ _____
• _____

◆ _____
• _____
◆ _____
• _____
◆ _____
• _____
◆ Perfetto. Arrivederci, a presto.
• Arrivederci.

> • Ogni elemento cambiato correttamente 2 punti   Totale: _____ / 8

3 *Completa il dialogo con il verbo* **fare**, *gli* **articoli**, *il* **nome** *delle professioni. Attenzione: ♂ = maschile, ♀ = femminile*

• Che lavoro (*voi – fare*) _____ ?
■ Io (♀ – *fare*) _____ ___ impiegat_____, Antonio (♂ – *fare*) _____ ___
camer_____, Lucia (♀ – *fare*) _____ ___ dent _____, Mauro e Paolo
(♂ – *fare*) _____ ___ opera _____ in un call center. E voi?
• Noi (♀ – *fare*) _____ ___ farmac _____ .

> • Ogni elemento corretto 1 punto   Totale: _____ / 16

4 *Collega le colonne e ricostruisci le frasi. Attenzione, non sempre tutte le colonne devono essere collegate.*

Il	acqua	è		crema	
L'	cornetti	è	il	dolce con le	
Lo	panettiere	fa	la	naturale o	bianca
I	pizze della pizzeria	possono avere	un	pane	mele
La	schiacciata	può essere	una	pizza	gassata
Le	strudel	sono		tonde	

> • Ogni frase corretta 3 punti   Totale: _____ / 18

5 *Completa il testo con i verbi al* **presente.** *Cambia anche gli* **articoli** *e i* **nomi** *delle professioni* **evidenziate,** *dal femminile al maschile.*

StudentI.it

Internet offre possibilità interessanti a chi (*volere*) _____ un lavoro "nuovo".
(*Tu – Avere*) _____ passione per la rete, curiosità e un buon inglese? (*Potere*) _____
fare **la surfista** (_____) del web. (*Dovere*) _____ navigare tutto il giorno in
Internet alla ricerca di siti da segnalare. Le aziende che (*volere*) _____ diffondere il loro nome
sono molte e sono disposte a pagare molto bene. I guadagni (*partire*) _____ dai 700 euro in su.
Se (*avere*) _____ buone doti comunicative, (*potere*) _____ fare **l'animatrice**
(_____) di chat. (*Dovere*) _____ interagire con gli utenti delle chat e delle comunità
virtuali, stimolando la conversazione e moderando i toni degli utenti. Gli animatori di chat (*essere*)
_____ molto richiesti dai portali che (*offrire*) _____ questo servizio.
I turni (*essere*) _____ in genere di 4 ore. Gli impiegati full time (*guadagnare*)_____
800 / 1000 euro al mese.
Per chi (*preferire*)_____ un lavoro più originale, ecco **la portatrice** (_____) di fiori
al cimitero. Sì, proprio così! Questa persona porta i fiori, (*pulire*) _____ le tombe e accende
le candele al posto di chi non (*potere*) _____ o non (*volere*) _____ andare
al cimitero... Un lavoro davvero particolare!

• **Ogni verbo corretto 1 punto, ogni articolo + nome corretto 2 punti**   Totale: _____ / 23

6 *Completa con gli* **articoli determinativi** *negli spazi* _____, *con gli* **articoli indeterminativi** *negli spazi* _ _ _ _
e scegli la **preposizione** *giusta.*

FOCACCIA BLUES è _ _ _ _ piccolo film che racconta _ _ _ _ grande impresa.
È _____ incredibile storia di Luca, _ _ _ _ panettiere pugliese che un giorno decide
di aprire _ _ _ _ focacceria nella stessa piazza di Mc Donald's, _____ multinazionale
americana del fast food. _____ idea è semplice: _ _ _ _ spazio piccolo ma accogliente
dove proporre _____ specialità della tradizione pugliese (focacce, pizze, pizzette)
facendo concorrenza al famoso Big Mac. All'inizio sembra _ _ _ _ impresa impossibile,
ma poi _____ abitanti del posto cominciano ad apprezzare la novità e per Luca arriva
_____ successo: a poco a poco tutto _____ paese va (a / da / in) mangiare le sue
focacce e sempre meno gente va (a / da / in) Mc Donald's. Alla fine _____ gigante
americano è costretto a chiudere. Il film si svolge (a / da / in) Altamura (a / da / in)
Puglia, ma racconta _ _ _ _ storia universale: quella del piccolo Davide contro il
grande Golia.

• **Ogni elemento corretto 1 punto**   Totale: _____ / 19

☞ Totale test: _____ / 100

Cosa so fare?

Chiedere a qualcuno come sta
e rispondere. ☐ ☐ ☐

Rivolgersi a qualcuno in modo
formale e informale. ☐ ☐ ☐

Chiedere e indicare la professione. ☐ ☐ ☐

Comunicare in un bar. ☐ ☐ ☐

Indicare i giorni della settimana. ☐ ☐ ☐

Leggere brevi sintesi di film. ☐ ☐ ☐

Leggere un articolo semplice. ☐ ☐ ☐

Capire un servizio radiofonico semplice. ☐ ☐ ☐

Cosa ho imparato

Pensa a quello che hai imparato e scrivi...

• 5 parole o espressioni molto utili:

• una parola, espressione o regola molto difficile:

• una forma tipica della lingua parlata:

• una curiosità culturale sull'Italia e gli italiani:

Cosa faccio... | fare un'ordinazione in un bar

Immagina di entrare in un bar italiano. Scegli per ogni lettera una delle due possibili azioni e fai il test.
Poi leggi il tuo profilo a pagina 143.

	1	2
a.	☐ Entro nel bar solamente con persone italiane che mi possono aiutare.	☐ Entro nel bar anche da solo/a.
b.	☐ Guardo i prodotti e indico solo le cose che vedo, senza parlare.	☐ Penso a quello che vorrei ordinare e al modo per fare le ordinazioni in italiano.
c.	☐ Se non vedo quello che voglio, provo a chiedere al barista, in italiano. Se non mi capisce, mi aiuto con altre lingue o con il mimo o con un po' di fantasia.	☐ Se devo parlare direttamente al barista, parlo nella mia lingua. Oppure chiedo ad un italiano di ordinare al posto mio.
d.	☐ Se devo parlare in italiano non mi importa di essere gentile e di usare le forme di cortesia con il barista. Lui sa che io sono straniero/a.	☐ Cerco di essere gentile e di usare le forme di cortesia con il barista.
e.	☐ Alla fine ordino prodotti sconosciuti, per provare cose diverse.	☐ Alla fine ordino solo prodotti conosciuti. Sono al bar per mangiare e bere, non per fare un'esperienza culturale!

Mi metto alla prova | fare il caffè

Leggi il riquadro "Un caffè..." a pag. 67 oppure guarda una lista di ricette a base di caffè sul sito
www.styleciok.it/caffe_perfetto.php. Per qualche giorno, preparane e assaggiane alcune: quale preferisci?
Se non ti piace il caffè, puoi proporlo a un amico o a un familiare e chiedergli la sua opinione.

1 *Completa con i verbi.*

Alle 8:00
io (*svegliarsi*) _____ ,
lui dorme.

Alle 8:01
io (*alzarsi*) _____ ,
lui dorme.

Alle 8:50
io (*vestirsi*) _____ ,
lui (*svegliarsi*) _____ .

Alle 8:53
io (*truccarsi*) _____ ,
lui (*alzarsi*) _____ .

Alle 8:57
io (*pettinarsi*) _____ ,
lui fa colazione,
(*lavarsi*) _____ i denti,
(*farsi*) _____ la doccia,
(*farsi*) _____ la barba,
(*vestirsi*) _____ ,
(*pettinarsi*) _____ .

Alle 9:00
(*essere*) _____
pronti per una nuova giornata!

2 *Riflessivo o non riflessivo? Scegli l'opzione corretta.*

La mattina di una mamma
La mattina (mi / si / –) sveglio presto. Alle 7.00 (mi / si / –) alzo, vado in bagno e faccio
la doccia. Poi (mi / si / –) vesto, preparo la colazione e alle 7.30 (mi / si / –) sveglio Luca.
Dopo dieci minuti Luca (mi / si / –) alza. Io (mi / si / –) lavo e (mi / si / –) vesto Luca.
Alle 8.00 (mi / si / –) facciamo colazione. Alle 8.15 (mi / si / –) pettino e (mi / si / –) lavo i denti.
Poi (mi / si / –) lavo i denti a Luca. Alle 8.30 (mi / si / –) usciamo di casa. Alle 8.45 (mi / si / –)
accompagno Luca a scuola e finalmente alle 9.00 (mi / si / –) arrivo in ufficio.

3 *Ricostruisci i nomi dei giorni, come nell'esempio. Le lettere che restano formano una parola che significa*
"sette giorni".

1. lunedì
2. _____
3. _____
4. _____
5. _____
6. _____
7. _____

ve   ba   do   dì   ~~x~~   ti   to
me   set   dì   mar
gio   co   sa   mer
te   le
~~x~~   ma   dì
ner   ~~e~~   dì   ni   ca   ve   na

Sette giorni = una _____

4   *Completa con* anche *o* neanche.

- Mi sveglio sempre prima delle 7.
- ▪ _____ io.
- La mattina di solito non faccio colazione.
- ▪ _____ io.
- Per andare al lavoro a volte prendo la macchina.
- ▪ _____ io.

- A pranzo spesso non torno a casa.
- ▪ _____ io.
- Il sabato non lavoro quasi mai.
- ▪ _____ io.
- La sera resto quasi sempre a casa.
- ▪ _____ io.

5   *Scegli l'opzione corretta.*

- Io la mattina (non / –) faccio colazione al bar. E tu?
- ▪ Anche io.
- Io la sera di solito (non / –) esco. E tu?
- ▪ Neanche io.

- Tu lavori il sabato?
- ▪ No.
- (Anche / Neanche) io.

6   *Trasforma le frasi dell'esercizio* **4** *cambiando l'*avverbio *di frequenza* evidenziato *o con il* contrario *(≠) o con il* sinonimo *(=), come negli esempi. Usa gli avverbi della lista. Attenzione: in alcuni casi devi aggiungere o eliminare la negazione* non.

(a ~~volte~~)   (di solito)   (mai)   (qualche volta)   (quasi mai)

(quasi sempre)   (raramente)   (~~sempre~~)   (spesso)

> ✏ **Esempio**
> La mattina non prendo mai il caffè.   ≠ La mattina prendo sempre il caffè.
> Il sabato qualche volta vado al cinema.   = Il sabato a volte vado al cinema.

1. Mi sveglio sempre prima delle 7.
2. La mattina di solito non faccio colazione.
3. Per andare al lavoro a volte prendo la macchina.
4. A pranzo spesso torno a casa.
5. Il sabato non lavoro quasi mai.

6. La sera resto quasi sempre a casa.

≠ _____ mi sveglio _____ prima delle 7.
= La mattina _____ non faccio colazione.
= Per andare al lavoro _____ prendo la macchina.
= A pranzo _____ torno a casa.
= Il sabato lavoro _____.
≠ Il sabato lavoro _____.

≠ La sera _____ resto _____ a casa.

7   *Completa la tabella con la combinazione* articolo + aggettivo possessivo + nome, *come nell'esempio.*

Aldo / macchina = *la sua macchina*	Voi / biglietti = _____	I signori Bindi / cani = _____
Luigi / gatto = _____	Voi / treno = _____	Noi / pizze = _____
Io e Sandra / soldi = _____	Chiara / libri = _____	Tu / documenti = _____
Noi / corso = _____	Tu / lavoro = _____	Io / computer = _____
Io / amici = _____	Tu e Sara / città = _____	Gianni / bambine = _____
Loro / scuola = _____	Tu / borsa = _____	Loro / famiglie = _____
Io / giornate = _____	Lino e Ugo / albergo = _____	Io / casa = _____
Tu e Edo / camere = _____	Io e Maria / classe = _____	Tu / scarpe = _____

3 *Completa con gli* **aggettivi possessivi** *e scegli l'*avverbio *di frequenza corretto.*

> Da quando non lavoro più ho molto tempo libero, ma le _____ giornate sono un po' tutte uguali.
> La mattina vado al parco con il cane. Resto lì fino all'ora di pranzo a leggere. Poi torno a casa, mangio
> e mi riposo. Il venerdì pomeriggio viene a trovarmi Rita, con i _____ due bambini, Matteo e Dino.
> La _____ visita è il momento più bello della settimana! ☺ La sera (di solito / mai) vado a letto presto.
> Solo il sabato e la domenica (quasi mai / qualche volta) vado al cinema o a cena con i _____ ex colleghi.
>
> *Aldo*

9 *Completa con i* **verbi** *e scegli l'espressione corretta.*

> Alle 6 suona la sveglia, io e Luigi (*alzarsi*) _____, doccia veloce, lui (*vestirsi*) _____
> ed esce (il (suo / si / lui) ufficio è a 40 km da casa). Io preparo il latte per Martina, la (nostri / noi / nostra)
> bambina. Mi vesto, (*uscire*) _____ di casa, porto Martina dai nonni, corro in ufficio, lavoro fino
> alle 4, ripasso a prendere Martina, faccio la spesa al supermercato, torno (a / di / da) casa, preparo la cena...
> Alle 8 (*arrivare*) _____ Luigi, (*noi – mangiare*) _____ ... Alle 9 Martina è sveglissima
> e (*volere*) _____ giocare, con le ultime energie la mettiamo a letto e (*noi – addormentarsi*)
> _____. ☺ᶻᶻᶻ Fine settimana: (noi / non / nostro) usciamo mai, stiamo a casa a fare le pulizie
> e a dormire. Forse è per questo che il (loro / nostro / suo) matrimonio è in crisi? ☹ᵐᵐ☹ᵐᵐ☹ᵐᵐ
>
> *Giovanna*

1 *Ascolta e rispondi alle domande.*   📀 esercizi 7

1. Una mamma parla della sua famiglia. Da quante persone è composta?
2. Quali personaggi della famiglia puoi sentire nell'audio?

2 *Riascolta e completa la scheda della famiglia con tutte le informazioni che riesci a capire.*   📀 esercizi 7

	Come si chiama?	Quanti anni/ mesi ha?	Cosa fa?
La mamma	/	/	_____
Il marito	/	/	_____
Il primo figlio	/	_____	_____
Il secondo figlio	_____	_____	_____
Il terzo figlio	_____	_____	/

3 *La mamma parla anche di un sesto componente della famiglia. Chi è?*

4   *Completa la tabella, come negli esempi.*

		Sì	No, è...
1.	*Il padre di mio padre è mio nonno.*	☒	☐ _____
2.	*Il figlio di mio padre e di mia madre è mio zio.*	☐	☒ mio fratello
3.	Il fratello di mia madre è mio cugino.	☐	☐ _____
4.	La figlia di mio padre e di mia madre è mia sorella.	☐	☐ _____
5.	Il fratello di mio padre è mio zio.	☐	☐ _____
6.	La madre di mia madre o di mio padre è mia nonna.	☐	☐ _____
7.	La figlia di mia zia e di mio zio è mia sorella.	☐	☐ _____
8.	La sorella di mio cugino è mia cugina.	☐	☐ _____
9.	Il figlio di mio figlio è mio nipote.	☐	☐ _____
10.	La sorella di mia madre o di mio padre è mia nonna.	☐	☐ _____

5   *Completa il dialogo con gli* **aggettivi possessivi**, *con o senza l'articolo, come nell'esempio.*

- Allora questa sei tu, questo è ___tuo___ fratello Alessandro dicevi...
- Sì, sì. Questa è Irene, _____ sorella, e questo è Giulio, _____ fidanzato.
- E Irene è più grande di te?
- Sì, ha diciassette anni.
- Senti invece in quest'altra foto... non siete in vacanza?
- No, no, siamo a casa.
- Ah, ho capito, ecco questa sei di nuovo tu...
- Sì, questo è _____ fratello Alessandro, che però non si riconosce perché qui ha gli occhiali. Questa è Irene e questa è _____ madre e questa è _____ nonna Luisa.
- E _____ nonna quanti anni ha?
- Ottantaquattro.
- Sembra molto più giovane! Quindi tu vivi con _____ madre?
- Sì, abito con _____ madre, _____ nonna e _____ fratelli, Irene e Alessandro.

6   *Guarda le foto. Forma tutte le possibili domande e collegale alle risposte corrette, come nell'esempio.*

	domanda		risposta
Nella foto A	c'è	gli alberi?	Sì, c'è.
Nella foto B	ci sono	il mare?	No, non c'è.
		il sole?	Sì, ci sono.
		le tende?	No, non ci sono.
		un bambino con il cappello?	
		una barca?	

Completa con gli **articoli determinativi** *negli spazi _ _ _ _ e con gli* **articoli indeterminativi** *negli spazi____ .*

> Gentile Direttore,
> sono laureato in economia, ho _____ specializzazione, due master e circa venti pubblicazioni internazionali.
> Ma invece di lavorare all'Università come professore, faccio _ _ _ _ cameriere in _____ ristorante. Dei 60.251
> professori universitari del nostro Paese, 30.000 hanno più di 60 anni e _ _ _ _ altri sono _ _ _ _ loro figli,
> le loro nipoti, _ _ _ _ loro amici, _ _ _ _ loro amanti e segretarie! E io non sono figlio, nipote, amico di nessun
> professore. Nelle università italiane circa _ _ _ _ 30% dei professori ha _ _ _ _ cognome uguale a quello di
> _____ altro professore. Solo in Italia, dove _ _ _ _ famiglia è sacra e intoccabile, può succedere _____ cosa
> come questa. Non è giusto. La ringrazio per _ _ _ _ attenzione.   *Giovanni Sarti*

Trova in ogni riga + la parola in più e inseriscila
nella riga superiore (nella riga –), come nell'esempio.

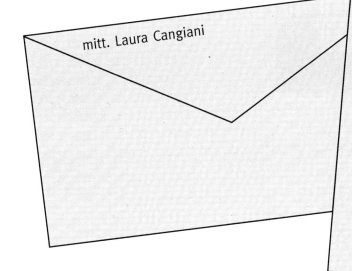

mitt. Laura Cangiani

> – Giovanni, tu dici che in Italia
> + la famiglia ⟨caro⟩ ha troppa importanza.
> – Non d'accordo.
> + Io sono vivo e lavoro negli USA
> – e quando torno Italia sono felicissima
> + di rivedere i miei in tanti parenti:
> – mia madre, mio padre, i fratelli,
> + i nonni, gli miei zii, i nipoti e i cugini.
> – A Natale ritroviamo tutti nella grande casa
> + di mio nonno a Todi e stiamo tutti ci insieme.
> – Il problema, caro Giovanni, non è
> + la tuo famiglia ma la disonestà degli altri.
> – "Famiglia" invece solidarietà,
> + significa amore e, per me, festa!
>
>   *Laura Cangiani*

Scrivi i numeri in lettere, come nell'esempio.

Popolazione italiana attuale:	60.462. 038	_____
1ª Roma:	2.724.347	_____
2ª Milano:	1.295.705	_____
3ª Napoli:	963.661	_____
8ª Firenze:	365.659	_____
10ª Catania:	296.469	_____
Nati in un anno:	75.175	_____
Morti in un anno:	76.100	_____
Nati in un giorno:	1.196	millecentonovantasei
Morti in un giorno:	1.235	_____
Matrimoni in un anno:	33.467	_____
Separazioni e divorzi in un anno:	17.070	_____

10 *Completa il cruciverba.*

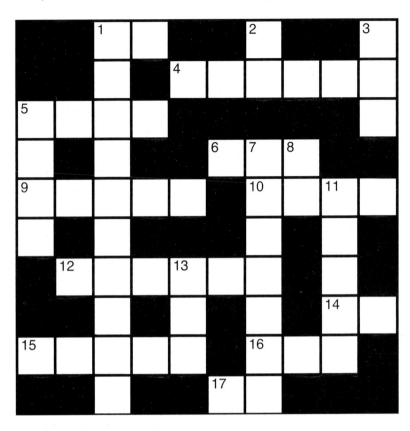

Orizzontali →

1. "Ti _____ di vedere le foto delle vacanze?"
4. Il giorno dopo domenica.
5. "Ciao, come va?" "Non c'è _____, grazie."
6. "Io non vado _____ al cinema, preferisco guardare la tv."
9. "_____ Paolo, a che ora comincia la lezione?"
10. "Buongiorno signora, come sta?" "Così _____."
12. "Scusa papà, perché non posso uscire con i miei amici? Non è _____!"
14. Il contrario di "no".
15. "Posso avere un caffè?" "_____ signora!"
16. "Facciamo una pausa, _____!"
17. _____ stadio di Roma si chiama "Olimpico".

Verticali ↓

1. "Prendiamo qualcosa al bar?" "Sì, molto _____!"
2. "Ho _____ fratello e una sorella."
3. "_____ padre si chiama Giovanni."
5. Un periodo di 30 giorni.
7. "La lingua italiana è molto facile." "No, non sono d'_____!"
8. "La mattina mi sveglio presto." "Anche _____."
11. "_____ signora, posso chiedere un'informazione?"
13. "Conosci Luigi?" "Sì, _____ fratello è nella mia classe."

1 *Scegli l'opzione corretta.*

Ciao ciao

mi chiamo Mila e ho 19 anni. Ho una sorella più piccola di due anni che va ancora a scuola, io invece frequento l'università e (**di sempre / di solito / mai**) sto tutto il giorno in casa a studiare. Quando finisco di studiare esco con (**mie / le mie / l'**) amiche per andare a fare shopping o al bar... (**Una volta / Qualche volta / Qualche volte**) vado a danza, che è (**il mio / lo mio / mio**) hobby preferito. La sera invece non esco spesso. Di solito mi stendo sul divano con (**sua / mia / la mia**) sorella e (**si rilassano / si rilasso / ci rilassiamo**) con qualche film in tv. A volte succede che (**ci addormentiamo / mi addormentiamo / noi addormentiamo**) così! (**A / Il / La**) sabato sera esco con (**il mio / mio / la mia**) ragazzo e (**loro / i loro / i suoi**) amici. (**La nostra / Nostra / Sua**) serata inizia in pizzeria e (**finisce quasi sempre / finisce quasi mai / non finisce mai**) al cinema, al bowling o in discoteca.

- **Ogni scelta corretta 1 punto e mezzo**   Totale: _____ / 18

2 *Completa con i **verbi** negli spazi _____ e inserisci due delle parole della lista negli spazi _ _ _ _ _ _.*

(**anche**) (**gli**) (**loro**) (**neanche**) (**suoi**)

Ciao, sono sempre Mila.

Ora vi racconto la giornata di Luca, il mio ragazzo. La mattina (*svegliarsi*) _____ sempre alle 6.00, ormai è un'abitudine consolidata, non ha nemmeno bisogno della sveglia.

Appena alzato (*farsi*) _____ subito la doccia. (*Vestirsi*) _____ , fa una buona colazione e (*prepararsi*) _____ per andare a giocare a tennis o per andare a nuotare (è un vero sportivo!).

Alle 9.00 (*aprire*) _____ il negozio (lavora nella frutteria dei _ _ _ _ _ _ zii).

Resta lì fino alle 13.00, poi (*andare*) _____ a casa a pranzare (di solito un'insalata), a volte prima di mangiare (*accendere*) _____ il computer e controlla le mail.

Dopo pranzo (*riposarsi*) _____ un po' o legge. Alle 16.00 torna al negozio. Lavora fino alle 19.30 / 20.00. Poi torna a casa per la cena. _ _ _ _ _ _ lui, come me, la sera esce spesso. Di solito (*mettersi*) _____ a letto alle 21.30, legge un'oretta e poi (*addormentarsi*) _____ .

- **Ogni verbo corretto 1 punto**   Totale: _____ / 10
- **Ogni parola inserita correttamente 3 punti**   Totale: _____ / 6

3 *Completa le frasi di sinistra con le parole della lista e poi riordina il dialogo a destra, come nell'esempio.*

(~~accordo~~) (**anch'io**) (**dai**) (**senti**) (**ti va di**) (**volentieri**)

☐ _____

☐ _____

[1] D'accordo. _____

☐ _____

☐ _____

1. D' _accordo_ .

2. Sì, certo, molto _____!

3. _____ prendere un caffè?

4. Sì, _____. Facciamo una pausa, _____!

5. _____, io sono stanca. E tu?

- **Ogni parola inserita correttamente 2 punti**   Totale: _____ / 10
- **Ogni frase al posto giusto 3 punti**   Totale: _____ / 12

4 *Completa con gli* **aggettivi possessivi** *(con o senza articolo) negli spazi* _____ *e con le parole della lista negli spazi* _ _ _ _ _ _ _ .

(figlio) (fratello) (padre) (padre)

Sofia ha 11 anni. Vive con _____ madre, _____ nonna Luisa e _____ fratelli Alessandro e Irene. Alessandro, ha 6 anni, è biondissimo, porta gli occhiali e non assomiglia per niente a Sofia. Irene e Sofia invece si assomigliano molto. Irene è più grande di Sofia, ha 17 anni. _____ ragazzo si chiama Giulio. Sofia ha anche un altro _ _ _ _ _ _ _ più piccolo, Francesco, di quasi due anni. Francesco è il _ _ _ _ _ _ _ di Sabrina e del _ _ _ _ _ _ _ di Sofia. Infatti i genitori di Sofia sono separati e il _ _ _ _ _ _ _ ha una nuova compagna.

Sofia, Alessandro e Irene abitano a Roma. _____ casa è in centro. Francesco invece abita in un piccolo paese vicino Roma. Per questo Francesco non vede spesso _____ fratelli durante la settimana: di solito passano insieme il sabato, la domenica e le vacanze.

• Ogni aggettivo possessivo corretto 3 punti	Totale: ____ / 18
• Ogni parola inserita correttamente 1 punto	Totale: ____ / 4

5 *Completa con* **è, sono, c'è, ci sono** *negli spazi* _ _ _ _ _ *e scrivi i numeri in lettere o viceversa, come negli esempi.*

In Italia:

▪ le famiglie con figli _ _ _ _ _ 9.612.300 (_____).

▪ il numero delle persone sole e delle coppie senza figli _ _ *è* _ _ in aumento: da tre milioni ottocentonovanta-settemilacinquecento (_____) a 4.909.150 (_____).

▪ aumentano anche le famiglie "alternative": si calcolano circa cinque milioni (__*5.000.000*__) tra single, coppie non sposate o con partner provenienti da altre unioni.

▪ _ _ _ _ _ novantottomilacentonovantotto (_____) bambini e adolescenti (età media tra 11 e 17 anni) figli di genitori separati e 46.586 (_____) di genitori divorziati.

▪ _ _ _ _ _ l'indice di vecchiaia più alto del mondo: per ogni 100 giovani al di sotto dei 15 anni _ _ _ _ _ 133 persone al di sopra dei 65.

▪ gli anziani (persone con più di 65 anni) _ _ _ _ _ più di 7.000.000 (*sette milioni*). Gli ultracentenari (persone con più di 100 anni) _ _ _ _ _ 7.102 (_____).

▪ _ _ _ _ _ un tasso di fecondità tra i più bassi del mondo. Il numero di figli per donna _ _ _ _ _ 1,26.

• Ogni verbo corretto 2 punti	Totale: ____ / 16
• Ogni numero scritto correttamente 1 punto	Totale: ____ / 6

☞ Totale test: ____ / 100

Cosa so fare?

Parlare di una giornata tipo. ☐ ☐ ☐

Indicare in che momento della giornata avviene un'azione. ☐ ☐ ☐

Indicare la frequenza di un'azione. ☐ ☐ ☐

Parlare della famiglia. ☐ ☐ ☐

Descrivere una persona in modo semplice. ☐ ☐ ☐

Esprimere accordo o disaccordo. ☐ ☐ ☐

Fare e accettare una proposta. ☐ ☐ ☐

Contare. ☐ ☐ ☐

Descrivere un luogo in modo semplice. ☐ ☐ ☐

Cosa ho imparato

Pensa a quello che hai imparato e scrivi...

• 10 parole o espressioni che ti sembrano molto utili:

• un errore in italiano che ora non fai più:

• una forma tipica della lingua parlata:

• un elemento culturale completamente diverso dalle tradizioni del tuo paese:

Cosa faccio... I usi e costumi degli italiani in un'occasione particolare

1 *Un amico italiano ti propone di andare a passare un giorno di festa con la sua famiglia.*
Secondo te, quali comportamenti possono essere efficaci con gli italiani e quali possono dare fastidio?

1. Mostrare delle fotografie della propria famiglia.
2. Fare domande private ai presenti.
3. Fare domande sui bambini, i loro gusti, la scuola, ecc.
4. Non fare nessuna domanda personale.
5. Chiedere di vedere la casa.
6. Portare un dolce o una bottiglia di vino.
7. Chiedere l'età dei presenti.
8. Non interrompere mai una persona che sta raccontando un fatto.
9. Parlare del cibo.
10. Giocare con i bambini.
11. Chiedere alle coppie come si sono conosciute.
12. Fare molti complimenti alla padrona di casa.

Comportamenti efficaci

Comportamenti fastidiosi

2 *Nel tuo paese quali sono i comportamenti efficaci e quelli che danno fastidio? Parlane con un compagno e confrontate il lavoro svolto al punto **1**.*

Mi metto alla prova I compilare la tua agenda in italiano

Per alcuni giorni (almeno una settimana), scrivi tutto quello che devi fare in un'agenda (elettronica o cartacea) in italiano: appuntamenti personali o di lavoro, pagamenti da effettuare, cose da comprare, ecc. Puoi usare il dizionario o chiedere aiuto ad altre persone: l'importante è utilizzare sempre e soltanto l'italiano!

bilancio bilancio bilancio bilancio bilancio bilancio bilancio bilancio bilancio bilancio

1 *Cosa sta facendo Mariana? Completa le frasi con la forma* **stare** + **gerundio** *dei verbi della lista.*

(andare) (guidare) (parcheggiare) (parlare) (passare) (passare)

_____ con il rosso.

_____ troppo veloce.

_____ con lo STOP.

_____ al telefono.

_____ senza cintura.

_____ in divieto di sosta.

2 *Completa il dialogo con i verbi al* **presente**. *Usa, dove possibile, la forma* **stare** + **gerundio**.

■ Pronto Mariana? Ciao, (*essere*) _____ Rita.

● Ehi, ciao Rita. Aspetta un attimo, (*guidare*) _____, sono in macchina.

■ Ok, ok.

● Sì dimmi. Sei già arrivata a Capri?

■ Sì sono arrivata. Sono arrivata oggi, da due ore.

● Ah, che bello. Senti, com'è il tempo lì? Qui a Perugia (*piovere*) _____.

■ Qui è bellissimo. (*Esserci*) _____ un sole stupendo. In questo momento (*mangiare*) _____ di fronte al mare.

● Bello. Non (*vedere*) _____ l'ora di essere lì. Così (*vedere*) _____ anche la tua casetta.

■ Eh, finalmente. A proposito, a che ora (*pensare*) _____ di arrivare?

● Eeh... guarda io (*andare*) _____ alla stazione, tra venti minuti (*avere*) _____ il treno.

3 *Completa le frasi con la forma* **stare** + **gerundio** *e scegli il finale di ogni frase, come nell'esempio.*

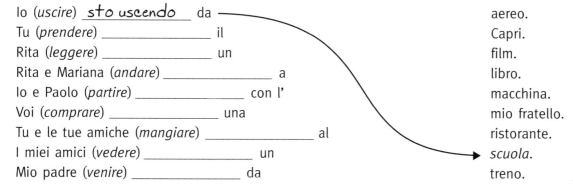

Io (*uscire*) __sto uscendo__ da ——

Tu (*prendere*) _____ il

Rita (*leggere*) _____ un

Rita e Mariana (*andare*) _____ a

Io e Paolo (*partire*) _____ con l'

Voi (*comprare*) _____ una

Tu e le tue amiche (*mangiare*) _____ al

I miei amici (*vedere*) _____ un

Mio padre (*venire*) _____ da

aereo.

Capri.

film.

libro.

macchina.

mio fratello.

ristorante.

scuola.

treno.

4 Completa il cruciverba con i **numeri ordinali** in lettere e con gli **avverbi** di luogo, come negli esempi.

(Orizzontali ➡)

1. 15°
7. 12°
8. 41°
12. 18°
15. 5°
17. 1°
19. 14°
22. 6°
23. 888°
25. 604°

26. 88°
29. 73°
31. 99°
32. 7°
34. 26°
36. 1000°
37. **Contrario di** *dietro*
38. Contrario di *lontano*
39. 19°
40. Sinonimo di *vicino*

(Verticali ⬇)

2. 9°
3. 533°
4. 10°
5. 16°
6. Contrario di *davanti*
9. Contrario di *destra*
10. 17°
11. 11°
13. 8°
14. Sinonimo di *davanti*: di _____

16. 4°
18. 62°
20. Contrario di *sinistra*
21. 600°
22. Contrario di *sopra*
24. 13°
27. 3°
28. 30°
30. 100°
33. 2°
35. Contrario di *sotto*

5 *Inserisci nei mini dialoghi il pronome ci, solo dove è necessario, come negli esempi.*

a. ■ Devi andare al Molo Beverello, a prendere l'aliscafo.
   • Ah, e come _ci_ arrivo?
   ■ _x_ Prendi il tram.

b. • A che ora pensi di arrivare?
   ■ Ora ____ sto andando alla stazione, tra venti minuti ho il treno.

c. ■ Perché non ____ prendi la macchina per andare a Napoli?
   • No, in macchina non ____ vado a Napoli!

d. • Com'è il tempo a Capri?
   ■ Qui è bellissimo. In questo momento ____ sto mangiando di fronte al mare.

e. ■ Conosci bene Capri?
   • Beh, io ____ vado sempre d'estate.
   ■ Allora ____ vieni a casa mia!

f. • Signora non ha visto il semaforo? ____ È rosso!
   ■ Ah, è vero, sì sì è rosso, ____ guardi, mi scusi.

6 *Completa il testo con i mezzi di trasporto della lista.*

(aereo) (aliscafi) (aliscafo) (auto) (autobus) (metro)
(taxi) (traghetti) (traghetto) (tram) (treno)

◀ ▶ + http://www.hotel-a-capri.it

෴ Raggiungere Capri da Napoli ෴

IN _____
Al casello autostradale di Napoli seguite le indicazioni per il porto. Dovete raggiungere il Molo Beverello per prendere il _____ o l'_____ per Capri.

IN _____
All'esterno dell'aeroporto Capodichino di Napoli ci sono gli _____ di linea ed i taxi per raggiungere il Molo Beverello.

IN _____
Arrivate alla Stazione di Napoli Centrale, qui prendete un _____ oppure un mezzo pubblico (la _____ o il _____) per raggiungere il Molo Beverello dove partono i _____ e gli _____ per Capri.

7 *Completa il testo con le parole della lista.*

(dietro) (dritto) (incrocio) (piazza) (ponte) (seconda) (stazione) (strada) (uscita)

Il bed & breakfast **Al mercato di Ortigia** è situato nell'affascinante centro storico di Siracusa, nel cuore del caratteristico mercato dell'isola di Ortigia.
• Come arrivare in auto dalla Strada Statale 124 (Catania, Noto, Ragusa): Esci all'_____ Siracusa. Prosegui superando il cimitero. All'_____ vai dritto per viale Ermocrate. Prosegui superando alla tua sinistra la _____ ferroviaria. Continua, seguendo la _____, in corso Umberto I. Gira sulla destra intorno a piazzale Guglielmo Marconi. Prendi via Malta.

Prosegui _____ fino ad attraversare il _____ per Ortigia. Gira a sinistra alla _____ dopo il ponte: via XX settembre. Continua dritto attraversando piazza Pancali. Continua quindi su via Trieste. Gira a destra alla terza traversa: via Perno. Venti metri e sei arrivato in _____ Cesare Battisti.
Il bed & breakfast **Al mercato di Ortigia** è _____ la statua di Cesare Battisti.

da www.almercatodiortigia.it

1 *Completa il testo con i verbi all'imperativo informale (tu). Attenzione: tre imperativi sono negativi.*

Domanda risolta

Vorrei andare qualche giorno a Firenze ma non mi piace vivere le città in modo troppo turistico. Ci sono fiorentini che mi possono dare qualche consiglio?

Roberto

6 ore fa

Miglior risposta – Scelta dal Richiedente

Gino A.

IL CENTRO STORICO • È sempre pieno di turisti. (*Guardare*) _____ i musei e le piazze famose, ma (*girare*) _____ anche per la città e (*cercare*) _____ qualche stradina e qualche piazza frequentata solamente da fiorentini...

IL CLIMA • Il clima è terribile, sul serio. D'estate è caldissimo e d'inverno si muore di freddo. (*Partire*) _____ con i vestiti adatti alla stagione.

PREZZI • Il costo della vita in centro è altissimo e in periferia è molto più basso. Se vuoi risparmiare, (*trovare*) _____ un albergo fuori dalla zona del centro.

SICUREZZA • Firenze è una città abbastanza sicura, ma naturalmente non mancano i borseggiatori. (*Portare*) _____ con te solo i soldi necessari e (*mettere*) _____ il portafogli nei pantaloni, soprattutto se prendi l'autobus.

NEGOZI • (*Dimenticare*) _____ di fare la spesa perché la sera i negozi chiudono alle 8:00.

DOVE MANGIARE • Anche se i ristoratori fiorentini generalmente sono onesti, (*chiedere*) _____ sempre la ricevuta e controlla il conto. Mi raccomando: (*ordinare*) _____ il piatto del giorno e (*andare*) _____ nei locali per turisti.

LA SERA • A Firenze c'è un po' di tutto: discoteche, pub, locali romantici, ristoranti. (*Andare*) _____ in internet e (*cercare*) _____ il locale migliore su *firenzenotte.it*.

NUMERI UTILI • In caso di furto o rapina, (*chiamare*) _____ il 113 (polizia) o 112 (carabinieri). A questi numeri puoi richiedere anche un'ambulanza. In caso di incendio (*telefonare*) _____ al 115.

MUSEI E MONUMENTI
Se possibile (*comprare*) _____ i biglietti on line così non devi fare la fila.

2 ore fa

2 *Ascolta il bollettino radio per gli automobilisti ed evidenzia, sulla cartina, le città che vengono nominate.*
📀 esercizi 8

3 *Ascolta ancora il bollettino e collega i tratti di strada con i problemi corrispondenti, come nell'esempio.*

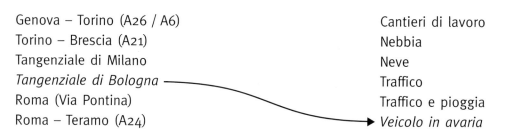

DVD esercizi 8

Genova – Torino (A26 / A6)   Cantieri di lavoro
Torino – Brescia (A21)   Nebbia
Tangenziale di Milano   Neve
Tangenziale di Bologna   Traffico
Roma (Via Pontina)   Traffico e pioggia
Roma – Teramo (A24)   *Veicolo in avaria*

4 *In questo SMS tre coppie di **verbi** sono state scambiate. Rimettile al posto giusto.*

5 *Uno dei 6 verbi dell'SMS del punto **4** non è un imperativo. Quale?*

> Io abito in via del Palazzo Bruciato 8. Dalla stazione **mangia** il taxi! A quell'ora c'è molto traffico, devi dire al tassista che da viale Strozzi non deve andare dritto in via dello Statuto ma subito dopo deve prendere a sinistra per via Spadolini e poi tornare a destra in via del Romito. Poi sempre dritto fino a via Neri. Il frigorifero è pieno, **prendi**, **arrivi** e **chiama** tutto quello che vuoi. **Prendi** quando **bevi**. Baci.

6 *Scegli i **pronomi diretti**.*

■ Il taxi a Firenze ■

Prendere un taxi nelle grandi città italiane non è sempre facile come in altri paesi. Non fermare un taxi lungo la strada, è meglio se (lo / la / li / le) chiami telefonicamente ai seguenti numeri: 055-4390, 055-4499, 055-4798, 055-4242. Nel centro storico invece i taxi (lo / la / li / le) trovi facilmente negli appositi parcheggi. Fai attenzione: a Firenze ci sono anche taxi pirata! Le macchine autorizzate dal Comune (lo / la / li / le) riconosci facilmente perché sono bianche o gialle con la scritta "taxi" sopra il tetto. Se sei all'aeroporto puoi utilizzare un prezzo fisso: (lo / la / li / le) trovi all'interno del taxi o sul sito *www.firenze-online.com*.

7 *Inserisci, in ogni disegno, la parola **questo** o la parola **quello**, riferita al contrabbasso.*

3 Completa il testo con i verbi all'**imperativo** e inserisci negli spazi i pronomi diretti **lo**, **la**, **li**, **le** o il pronome **ci**. Attenzione: in alcuni casi devi attaccare il pronome all'imperativo.

> **Marco**
>
> **Domanda risolta**   YAHOO! ANSWERS
> **La prossima settimana vado a Firenze.**
> **Come _____ posso arrivare dall'autostrada??**
> 6 ore fa
>
> ---
>
> **Antonio**
>
> **Miglior risposta** – Scelta dai votanti
>
> 1) Visto che _____ vai in macchina, (*seguire*) _____
>   le indicazioni stradali! In Italia ci sono dei chiari cartelli
>   che indicano la strada agli automobilisti.
> 2) Se i cartelli non _____ vedi o se qualcuno _____ ha eliminati,
>   (*comprare*) _____ un navigatore satellitare, tipo
>   Tomtom, _____ vendono in tutti i negozi di computer!
> 3) Se non hai i soldi per il Tomtom, (*scaricare*) _____
>   le mappe da internet e (*mettere*) _____ nel cellulare.
> 4) Se hai problemi con la tecnologia, vai su *http://maps.google.it*,
>   (*inserire*) _____ l'itinerario che vuoi, (*leggere*)
>   _____ la risposta e, se vuoi, (*stampare*) _____.

4 Riordina le frasi della colonna destra e inseriscile al posto giusto nel dialogo a sinistra, come nell'esempio.

> • *Pronto. Ciao Rita.*
> • Ciao Stefano. _____.
>   Allora? Tutto bene?
> ■ Sì, diciamo di sì. Sì, tutto bene, grazie.
>   _____. _____.
> • Ah, bene. E quand'è che
>   _____?
> ■ _____!
> • Mhhh, _____?
> ■ Eh, beh, _____,
>   ci sarà moltissima gente...

- a – casa – andando – sto – tua
- chiamando – Capri – da – sto – ti
- *ciao – pronto – Rita*
- concerto – è – importante – un
- concerto – hai – il
- emozionato – sei
- in – sono – taxi
- domani – sera

1 *Completa la telefonata tra Rita e Mariana con i verbi al* **presente** *o con la forma* **stare + gerundio.**

Rita	Pronto?
Mariana	Pronto Rita, ciao. Senti: sono a Napoli e (*andare*) _____ a prendere il traghetto.
Rita	Ah, perfetto! Tutto ok con il treno?
Mariana	Sì, sì, tutto a posto. Ora (*camminare*) _____ , sono a via Monteoliveto.
Rita	Ah, allora sei quasi arrivata.
Mariana	Sì, sì, tra cinque minuti (*arrivare*) _____ al molo.
Rita	Bene. Allora io ti (*aspettare*) _____ al porto di Capri. Ci vediamo lì, ok?
Mariana	Certo! A dopo allora.
Rita	Ciao, a più tardi.

> • Ogni verbo corretto 3 punti   Totale: _____ / 12

2 *Scegli dove inserire il pronome* **ci** *e completa i dialoghi con le espressioni della lista.*

(a sinistra)   (di fronte)   (dietro)   (dritto)

a. ▪ Quello... dove lo mettiamo, scusi?
  • Guardi, (ci / −) proviamo _____ , insieme alle valigie.
  ▪ No. Guardi, non entra. Non (ci / −) sta.

b. ▪ Guardi, l'indirizzo è: via del Palazzo Bruciato 8. Come (ci / −) arriviamo?
  • Dunque, (ci / −) prendiamo viale Strozzi, poi proseguiamo _____ per via dello Statuto
  ▪ Veramente mi hanno detto che a quest'ora è meglio girare _____ per prendere via Spadolini.

c. ▪ Ah, bene. E quand'è che hai il concerto?
  • Domani sera!
  ▪ Mhhh, (ci / −) sei emozionato?
  • Eh, beh, è un concerto importante, (ci / −) sarà moltissima gente.

d. ▪ Ciao Stefano, sei già a casa?
  • Ancora no, (ci / −) sto andando adesso!
  ▪ Ah, bene, ricordati che (ci / −) devi chiedere la chiave alla signora Paola, che ha la porta proprio _____
  alla mia.
  • Sì, sì, non preoccuparti.

> • Ogni pronome *ci* corretto 2 punti   Totale: _____ / 16
> • Ogni parola al posto giusto 2 punti   Totale: _____ / 8

3 Rimetti in ordine il dialogo inserendo al posto giusto le battute della colonna a destra e completa con i **pronomi diretti** o il pronome **ci** negli spazi _____.

■ Amore, come sistemiamo i bagagli per la partenza?	
• ☐	
■ Allora, prima di tutto ci sono le valigie.	1. • Cosa c'è da portare?
• ☐	2. • Quella _____ tieni davanti, vicino ai tuoi piedi.
■ Poi il mio computer portatile...	3. • Per me va bene, però in macchina sicuramente non _____ va, _____ possiamo mandare con la posta. In due giorni arriva.
• ☐	
■ E la borsetta?	
• ☐	4. • Ok, _____ possiamo mettere dietro, non occupa troppo spazio.
■ Perfetto. Poi ci sono i giochi dei bambini...	
• ☐	5. • Sì. Quelle _____ mettiamo nel portabagagli.
■ Se _____ mettiamo in una scatola?	6. • _____ vuoi portare tutti? Ma sono troppi!
• ☐	
■ Due giorni?! Guarda che partiamo per una settimana, non per un mese!	

- Ogni frase al posto giusto 1 punto — Totale: _____ / 6
- Ogni pronome corretto 4 punti — Totale: _____ / 28

4 Completa i testi con i verbi all'**imperativo informale** (tu), affermativo o negativo. Attenzione: in un caso devi attaccare il **pronome diretto** all'imperativo.

ARRIVARE A FIRENZE IN AUTO

Se vieni da Milano, (prendere) _____ l'autostrada A1 Bologna-Firenze, ed (uscire) _____ a Firenze Nord; successivamente (seguire) _____ le indicazioni per il centro storico di Firenze. Se vieni da Genova o dalla Francia, (prendere) _____ l'autostrada A12 fino a Viareggio, l'A11 per Firenze ed (uscire) _____ a Firenze Nord. Se arrivi a Firenze da Roma prendi l'autostrada A1 Roma-Milano, questa volta esci a Firenze Sud, e poi (seguire) _____ le indicazioni per Firenze.

ARRIVARE A FIRENZE IN TRENO

Firenze ha 4 stazioni ferroviarie ed è collegata molto bene con le maggiori città italiane. Se vuoi prenotare un treno da casa, (acquistare) _____ il biglietto sul sito _www.ferroviedellostato.it_. (Salire) _____ sul treno senza biglietto perché prendi sicuramente una multa.

ARRIVARE A FIRENZE IN AEREO

L'aeroporto di Firenze si chiamo Amerigo Vespucci ed è collegato con tutti i maggiori aeroporti italiani ed alcuni europei. Se arrivi a Firenze in aereo e vuoi usare una macchina, (noleggiare) _____ presso gli autonoleggi dell'aeroporto, sono aperti dalle 8.30 alle 23.00. Per maggiori informazioni (visitare) _____ il sito _www.aeroporto.firenze.it_.

- Ogni verbo corretto 3 punti — Totale: _____ / 30

☞ Totale test: _____ / 100

Cosa so fare?

Chiedere e dire l'indirizzo. ☐ ☐ ☐

Chiedere, seguire e dare indicazioni stradali. ☐ ☐ ☐

Chiedere e indicare la durata di un percorso. ☐ ☐ ☐

Dare ed eseguire istruzioni. ☐ ☐ ☐

Formulare domande semplici per ottenere informazioni su una località e rispondere. ☐ ☐ ☐

Indicare oggetti vicini o lontani. ☐ ☐ ☐

Capire i cartelli stradali. ☐ ☐ ☐

Cosa ho imparato

Pensa a quello che hai imparato e scrivi...

- 5 parole o espressioni difficili da ricordare:

- una regola particolarmente difficile:

- una forma tipica della lingua parlata:

- una curiosità culturale sull'Italia e gli italiani:

Cosa faccio... | dare indicazioni a qualcuno

1 *Cosa fai in queste situazioni? Scegli per ogni punto una delle due possibilità tra **a** e **b** e indica le parole che usi.*

Devi chiedere un'informazione:

1a. Fermo una persona per strada usando (scusi / guardi / scusa / guarda).

1b. Apro la mappa con aria disperata e aspetto un aiuto.

2a. Se la persona che mi aiuta non mi capisce dico (prego / grazie / scusa / guardi) e vado via.

2b. Se la persona che mi aiuta non mi capisce rispondo "(prego / scusi / piuttosto), sono straniero".

3a. Per avere l'informazione dico semplicemente dove devo andare. Inizio con (caspita / guardi / piuttosto / cioè).

3b. Per avere l'informazione da un italiano devo formulare una domanda chiara, altrimenti non risponde.

4a. Quando capisco l'indicazione dico (caspita! / grazie! / prego! / certo!) e vado via.

4b. Quando capisco saluto con un gesto e vado via.

Una persona ti ferma e ti chiede un'informazione:

1a. Se non capisco chiedo di ripetere usando (scusi? / come scusa? / guarda. / guardi.)

1b. Dico subito "(Come / Scusa / Scusi), sono straniero!" e cerco di andare via.

2a. Per dare l'informazione cerco di usare le parole giuste, facendo attenzione a non sbagliare.

2b. Per dare l'informazione cerco di usare tutti i modi che ho per comunicare, prima di tutto la gestualità.

3a. Se la persona mi dice "Cerco via ..." rispondo "Buona fortuna". Se non fa una domanda evidentemente non vuole una risposta.

3b. Se la persona mi dice "Cerco via ..." provo ad aiutarla se posso. Inizio con (allora / cioè / piuttosto / prego).

4a. Quando la persona va via mi aspetto un (grazie / prego / ciao / scusi).

4b. Quando la persona ha capito vado via senza salutare.

2 *Nel tuo paese valgono gli stessi comportamenti? Discuti con un compagno e motivate le risposte.*

Mi metto alla prova | ottenere indicazioni stradali con internet

Vai su http://maps.google.it, poi su "Indicazioni stradali", e inserisci un punto di partenza ("A") e di arrivo ("B"), nella tua città o in un'altra località. Puoi selezionare sia l'opzione "in auto" che "a piedi". In "percorsi suggeriti", osserva e annota tutte le parole ed espressioni relative che non conosci e integrale al lessico del modulo 5.

1 *Ricostruisci il dialogo con le frasi nei riquadri.*

- ▪ □ □
- ● Musica classica.
- ▪ □ □ □
- ● Capisco, no, io invece □

> 5. non amo ballare.

> 3. ti piace ascoltare?

> 1. il pop, il rock, la disco... Insomma, musica da ballare.

> 2. Mmm. la musica classica

> 6. Che tipo di musica

> 4. non mi fa proprio impazzire. Preferisco

2 *Scegli la **preposizione articolata** corretta.*

Sono aperte le iscrizioni (alla / allo / al) stagione invernale (dai / dei / degli) corsi di:

BODY-BUILDING, SPINNING, AEROBICA

Sconti (del / dello / dell') 20% (ai / agli / al) primi 30 iscritti!
Prima lezione di prova gratuita
(lezioni (dalla / dal / dei) lunedì (al / allo / ai) sabato, ore 9.00 – 20.00)

Centro sportivo capitolino
Corso Garibaldi, 125 • csc@csc.it • tel 063244798 • fax 063244885

3 *Aggiungi l'articolo e forma le **preposizioni articolate** per completare il testo, come nell'esempio.*

Cucina (da) _dalla_ A (a) _____ Z!

Corso di cucina in 5 lezioni.

Prenotati subito!

La prima lezione è dedicata (a) _____ antipasti e (a) _____ formaggi,
la seconda (a) _____ primi, la terza (a) _____ carne,
la quarta (a) _____ pesce, la quinta (a) _____ dolci.

Costo: 250 euro
(In) _____ costo dell'iscrizione è compreso un libro (su) _____ storia (di) _____ cucina italiana.

Le lezioni si terranno (in) _____ locali dell'associazione in via Lupoli 18.
Per informazioni scrivere a info@lacucinagaia.it

4 *Completa le domande con* **piace** *o* **piacciono** *e poi collega ogni domanda alla risposta corrispondente, come nell'esempio.*

domanda	risposta
Ti __piace__ ballare?	No, preferiamo le tagliatelle.
A Luigi _____ le lasagne?	Sì, ci piace.
A voi _____ l'Italia?	Sì, le piace.
A Luca e Paolo _____ cucinare?	No, preferisco leggere un libro.
Ti _____ guardare la tv?	Sì, gli piace.
A Laura _____ la musica rock?	*Sì, mi piace.*
A voi _____ gli spaghetti?	No, preferisce le tagliatelle.

5 *Completa il dialogo con il* **presente** *dei verbi negli spazi* _____ *e i* **pronomi** *negli spazi* _ _ _ _, *come negli esempi.*

- Complimenti, siete bravissimi.
- Grazie.
- Senti ma... questa canzone... quella che fa "Domani è già qui"... Come si chiama...
- Eh, sì, "Domani". _Ti_ (piacere) __piace__ ?
- Sì, _ _ _ _ (piacere) _____ moltissimo. È veramente bella. Di chi è?
- Beh, è mia... l'ho scritta io.
- Davvero?
- Eh sì.
- Così tu (cantare) _____, (suonare) _____ il contrabbasso e (scrivere) _____ canzoni...
- Esatto.
- WOW!
- Beh... In realtà io e i miei compagni (preferire) _____ suonare un altro tipo di musica, ma con le canzoni pop è più facile avere dei contratti...
- E che tipo di musica _ _ _ _ (piacere) _____ suonare?
- Musica jazz...
- Mmm...
- Beh, perché quella faccia?
- No, niente, è che il jazz non mi fa proprio impazzire. (Preferire) _____ il pop, il rock, la disco... Insomma, musica da ballare.
- Capisco... No, io invece non amo ballare... Comunque io mi chiamo Stefano.

- Piacere. Io sono Euridice.
- Euridice? Che strano nome...
- Lo so... (dire) _____ tutti così...
- No, ma _ _ _ _ (piacere) _____ ... sì, sì, _ _ _ _ (piacere) _____ ... Senti, Euridice tu che (fare) _____ ? (Suonare) _____ anche tu?
- No, no... Io lavoro in un circo.
- Ma dai!
- Davvero... Sto facendo uno stage per diventare acrobata
- Acrobata...
- Sto imparando a camminare sul filo, a circa tre metri da terra...
- Caspita. Che coraggio! E come mai questa passione?
- Beh... _ _ _ _ (piacere) _____ le cose difficili...
- Che vorresti dire?
- Beh, (andare) _____ anche a cavallo, (correre) _____ in moto... _ _ _ _ (piacere) _____ le moto?
- Nooo, sono troppo pericolose per i miei gusti... E poi (avere) _____ il contrabbasso, la moto non (andare) _____ bene. (Preferire) _____ la macchina.
- Stefano! Vieni, dai, che (dovere) _____ ricominciare. Ti sei già innamorato? Guarda che sono gelosa!
- Arrivo arrivo.
- È la tua ragazza?
- No, no... è Caterina, la cantante. _ _ _ _ (piacere) _____ scherzare.

1 Completa la mail di Silvia con il **participio passato** *dei verbi tra parentesi come nell'esempio e inserisci negli spazi _ _ _ _ le parole della lista.*

(dopo) (fa) (fra) (momento) (qui)

> A: paola123@yahoo.it
>
> Oggetto: in viaggio
>
> ---
>
> Innsbruck, venerdì 8 luglio 2009
>
> Ciao Paola,
> (*leggere*) ho __letto__ la tua mail dieci minuti _ _ _ _ e ti rispondo subito. In questo _ _ _ _
> sono a Innsbruck, finalmente _ _ _ _ in albergo c'è una connessione a internet così posso raccontarti
> un po' il mio viaggio.
> Come sai, l'altro ieri io e Marco (*partire*) siamo _____ da Venezia alle 5.30 e (*venire*) siamo _____
> a passare qualche giorno nelle zone intorno al confine tra Italia e Austria.
> La prima città è stata Bolzano, dove (*fare*) abbiamo _____ una visita guidata alla Thun e poi per il resto
> della giornata (*girare*) abbiamo _____ per le vie e i mercatini della città... la sera (*mangiare*) abbiamo
> _____ in un albergo... no comment!! La cena (*essere*) è _____ un disastro! Per fortuna alla fine
> (*prendere*) abbiamo _____ la torta Sacher... praticamente (*cenare*) abbiamo _____ con quella!
> Ieri (*essere*) è _____ la giornata di Bressanone. Il centro mi (*piacere*) è _____ moltissimo.
> (*Visitare*) Abbiamo _____ anche il Duomo: una chiesa barocca davvero imponente.
>
> Oggi (*passare*) abbiamo _____ una giornata molto faticosa. Stamattina (*svegliarsi*) ci siamo _____
> presto e (*partire*) siamo _____ per l'Austria. Ora siamo ad Innsbruck ma durante il viaggio (*fermarsi*)
> ci siamo _____ a Wattens per vedere il museo della Swarovski... molto carino.
> Innsbruck è splendida, veramente bellissima, molto colorata e accogliente... (*fare*) abbiamo _____
> un po' di shopping (poi quando torno ti mostro le cose che (*comprare*) ho _____... c'è anche un regalino
> per te!) e _ _ _ _ (*andare*) siamo _____ a cena in un ristorante tipico. Prima di andare a cena però
> (*comprare*) abbiamo _____ due torte Sacher da portare a Venezia!
> Ora siamo in questo bellissimo hotel... _ _ _ _ poco chiudo il computer, mi faccio un bagno nella vasca
> idromassaggio e poi mi butto a letto!

2 *Rileggi la seconda parte della mail e metti in ordine cronologico gli eventi accaduti prima del momento in cui Silvia scrive la mail e quelli previsti per dopo, come nell'esempio.*

1. Marco e Silvia comprano due torte Sacher.
2. Marco e Silvia mangiano in un ristorante tipico.
3. Marco e Silvia partono per l'Austria.
4. *Marco e Silvia si svegliano presto.*
5. Marco e Silvia tornano a Venezia.
6. Marco e Silvia visitano il museo della Swarovski.
7. Marco e Silvia fanno shopping a Innsbruck.
8. Silvia entra nella vasca idromassaggio.
9. Silvia mostra a Paola le cose che ha comprato.
10. Silvia va a letto.

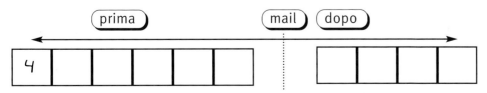

3   *Rimetti in ordine la parte finale della mail di Silvia: inserisci al posto giusto nel testo a sinistra le frasi a destra. Attenzione alla punteggiatura.*

A: paola123@yahoo.it

Oggetto: in viaggio

Domani mattina partiamo da qui e andiamo in Val di Fassa. ☐ Lì c'è un festival ☐ ☐ e noi abbiamo comprato i biglietti per il concerto di domani. ☐ ☐ ☐ ! ☐ Un bacio grande dalla tua collega preferita.
Silvia

1. Abbiamo un programma fantastico!
2. Arriviamo in un rifugio con la macchina
3. che si chiama "I suoni delle Dolomiti":
4. e poi dobbiamo fare un'ora e mezza di cammino per raggiungere il luogo del concerto! Poi,
5. fanno dei concerti in mezzo alle montagne
6. Ora vado a letto che sono stanca.
7. quando torno, ti faccio vedere tutte le foto

4   *Completa i post del forum con i verbi al **passato prossimo**.*

www.cisonostato.it

Lessinia, chi c'è stato? ▸ *da etta il 6 settembre 2009, 15:38*

Ciao a tutti, voglio andare una giornata in Lessinia, territorio in provincia di Verona e Vicenza e vorrei sapere se qualcuno di voi ci (*andare*) _____ e la conosce? Grazie.
Etta

(quote)

Re: Lessinia, chi c'è stato? ▸ *da sangiopanza il 6 settembre 2009, 19:26*

Io (*vedere*) _____ solo il museo paleontologico di Bolca e la Pesciara, dove, tra le pietre sparse per terra, mio marito (*trovare*) _____ due piccoli fossili.

(quote)

Re: Lessinia, chi c'è stato? ▸ *da Ricky il 29 settembre 2009, 16:36*

Etta, poi (*andare*) _____ in Lessinia?

(quote)

Re: Lessinia, chi c'è stato? ▸ *da etta il 29 settembre 2009, 22:17*

Sì, ci (*andare*) _____ mi (*piacere*) _____ moltissimo! Sono felice perché (*conoscere*) _____ un posto fantastico con un paesaggio verdissimo, rilassante e anche interessante dal punto di vista culturale.
Prima di partire (*decidere*) _____ di visitare il lato ovest della Lessinia, dove (*fare*) _____ moltissime fotografie di panorami unici.
Ad un certo punto (*arrivare*) _____ anche un'aquila reale: (*riuscire*) _____ a vederla e anche a fotografarla, anche se da lontano. Che emozione!
Insomma, (*passare*) _____ una bella giornata!

1 Ascolta il servizio del telegiornale e scegli il titolo.

DVD esercizi 9

☐ (Il presidente Obama allo spettacolo di Roberto Benigni.)

☐ (Dante a Manhattan con Roberto Benigni.)

☐ (Roberto Benigni e Jim Jarmush a Broadway.)

2 Riascolta e inserisci al posto giusto nello schema le informazioni sui due spettacoli citati.

DVD esercizi 9

(1. August Wilson)

(2. Barack Obama)

(3. Belasco Theatre)

(4. Hammerstein Ballroom)

(5. Jim Jarmush)

(6. Roberto Benigni)

(7. Tutto Dante)

Titolo dello spettacolo	Teatro	Autore	Spettatore
A. Joe Turner's Come and Gone	A. _____	A. _____	A. _____
B. _____	B. _____	B. _____	B. _____

3 Ascolta ancora il servizio giornalistico e scegli l'opzione corretta.

DVD esercizi 9

Roberto Benigni:	Sì	No	Forse
1. Ha fatto satira sulla politica italiana.	☐	☐	☐
2. Ha parlato in inglese.	☐	☐	☐
3. Ha parlato degli afroamericani.	☐	☐	☐
4. Ha recitato insieme a Giovanna Botteri.	☐	☐	☐
5. Ha detto parolacce in italiano.	☐	☐	☐
6. Ha detto parolacce in inglese.	☐	☐	☐

4 *Scegli l'ausiliare dei verbi al passato prossimo e sostituisci le espressioni di tempo* evidenziate *con quelle della lista, come nell'esempio.*

(alla fine) (due ~~sere~~ fa) (ora) (poi) (poi) (prima di recitare) (verso le 20)

Siena, 16 luglio 2009 • La città di Siena, (l'altro ieri) _due sere fa_ , ha vissuto un piccolo miracolo.
(Circa alle 8 di sera) _____ i negozi hanno chiuso, le strade del centro (hanno / sono) acceso
le luci della sera e tutti i senesi (hanno / sono) accorsi in Piazza del Campo per assistere a un evento
eccezionale. Una partita di calcio? Un concerto di una star del rock? No, niente di tutto questo. L'altra sera
tutta Siena (ha / è) uscita in strada per ascoltare Roberto Benigni leggere la Divina Commedia di Dante.
In una Piazza del Campo affollatissima (si calcolano tra le 25 mila e le 30 mila persone), Roberto Benigni
(ha / è) spiegato e (ha / è) recitato il quinto canto dell'Inferno.
(Prima della lettura del quinto canto di) _____ Dante, l'artista toscano (ha / è) aperto lo spettacolo
con un breve monologo, che (ha / è) riguardato soprattutto i temi dell'attualità. Moltissime (hanno / sono)
state le battute sulla politica, che (hanno / sono) provocato le risate del pubblico.
(Dopo il monologo) _____ Benigni (ha / è) iniziato la lettura del quinto canto. Come tutti sanno,
è il canto dell'amore tra Paolo e Francesca. L'attore toscano (ha / è) spiegato con grande semplicità e chiarezza
il significato del canto e poi (ha / è) recitato il testo. Quando (ha / è) recitato i famosi versi "Amor, ch'a nullo
amato amar perdona...." tutta la piazza (ha / è) rimasta in un silenzio magico, completamente rapita dalla
bravura dell'attore.
(Al termine dello spettacolo) _____ , il pubblico (ha / è) applaudito per molti minuti e Benigni
(ha / è) regalato vari bis. Lo spettacolo di Benigni, dal titolo *TuttoDante*, (ha / è) debuttato in piazza
Santa Croce a Firenze esattamente 3 anni fa ed (ha / è) stato subito un grande successo.
(Dopo) _____ Benigni (ha / è) partito per un tour mondiale, che (ha / è) toccato prima l'Europa
e successivamente gli Stati Uniti. (Adesso) _____ lo spettacolo (ha / è) ricominciato a girare
per le piazze italiane.

5 *Riordina le frasi a destra. Poi metti le frasi al posto giusto nel testo a sinistra e ricomponi il dialogo, come nell'esempio. Attenzione alla punteggiatura.*

■ Adesso io devo andare a suonare. (Ma ti va di)
fare due chiacchiere dopo il concerto?
• (_____ , _____) , tra un po' io devo
tornare a casa. Domani mattina... insomma... devo alzarmi presto.
■ (_____ , _____) ... se non puoi stasera...
• (_____) . Ti do il mio numero così mi chiami.
Voi siete qui tutte le sere?
■ No, domani sera abbiamo l'ultimo concerto.
(_____) .
• Allora...Vabbe'... (_____) ... DOMANI?
■ Domani? (_____ ! _____) .
Anzi, sai che ti dico? Domani è già qui!

(dispiace – mi – non – posso)

(partiamo – poi)

(allora – beh – ma)

(di – ti – ma – va)

(certo – perfetto)

(che – ci – dici – ne – se – vediamo)

(altra – un' – facciamo – volta)

6 Inserisci nelle risposte il **che** relativo *al posto giusto, come nell'esempio.*

(che)

1. *Come apre i suoi spettacoli Benigni?*
▸ Inizia sempre con un monologo parla di politica.

2. *Cosa è successo a Siena il 14 luglio 2009?*
▸ Benigni ha fatto uno spettacolo in piazza ha avuto un enorme successo.

3. *Chi è Antonio Vivaldi?*
▸ Vivaldi è il compositore ha scritto *Le 4 Stagioni.*

4. *Cos'è un contrabbassista?*
▸ È il musicista suona lo strumento chiamato contrabbasso.

5. *Cos'è il quinto canto dell'Inferno?*
▸ È il canto della Divina Commedia racconta l'amore tra Paolo e Francesca.

6. *Da quanto tempo Benigni è in tournée?*
▸ Sta facendo un tour mondiale dura da tre anni.

7. *Chi va al locale Danzassassina?*
▸ Ci vanno le persone vogliono ballare tutta la notte.

8. *Chi va all'accademia di gastronomia?*
▸ Ci vanno le persone vogliono imparare a cucinare.

9. *Perché moltissimi senesi sono andati in Piazza del Campo?*
▸ Per vedere Roberto Benigni recita la Divina Commedia.

10. *Cos'è la Divina Commedia?*
▸ È l'opera più famosa di Dante Alighieri racconta il viaggio del poeta attraverso l'Inferno, il Purgatorio e il Paradiso.

7 Completa il testo con i verbi al **passato prossimo** *o al* **presente**, *come nell'esempio.*

Scemo di guerra

Martedì 9 e mercoledì 10 gennaio (*andare*) <u>è andato</u> in scena Ascanio Celestini con *Scemo di guerra. Roma 4 giugno '44*, spettacolo da lui scritto, interpretato e diretto che (*debuttare*) _____ nel 2004 a La Biennale di Venezia. Celestini è riconosciuto, in Italia, come uno dei più giovani e importanti esponenti del filone del "teatro della memoria". Nel 2002 l'Associazione Nazionale dei Critici di Teatro gli (*assegnare*) _____ il premio della critica. Inoltre l'attore (*ricevere*) _____ il Premio UBU Speciale "per il complesso della sua ricerca della Storia dentro alle sue storie". Celestini racconta così lo spettacolo: «(*Sentire*) _____ raccontare questa storia da mio padre per trent'anni. (*Essere*) _____ la storia del 4 giugno del 1944, il giorno della Liberazione di Roma. Per tanto tempo questa (*essere*) _____ per me l'unica storia concreta sulla guerra. Così quando (*cominciare*) _____ a fare ricerca (*decidere*) _____ di registrarlo e (*provare*) _____ a lavorare sulle sue storie. E proprio da queste storie nasce *Scemo di guerra*. Nello spettacolo (*essere*) _____ possibile ascoltare alcuni avvenimenti molto conosciuti come il bombardamento di San Lorenzo. Alcuni fatti (*accadere*) _____ veramente a mio padre, come quando (*rischiare*) _____ di farsi ammazzare per raccogliere una cipolla. Alcuni (*essere*) _____ altrettanto veri, ma li (*ascoltare*) _____ da altre persone, come la storia del soldato seppellito vivo all'Appio Claudio. Altre cose le (*inventare*) _____ io o le (*prendere*) _____ da altri racconti di altre guerre che (*ascoltare*) _____ . Adesso questa sua storia per me (*essere*) _____ il modo per mantenere un duplice legame sentimentale: quello politico con la mia città e quello umano con mio padre».

adattato da Italia Donna, 9 gennaio 2007

8 *Chiudi gli occhi, ascolta la musica e lascia libera la fantasia. Immagina una storia e scrivila.*   📀 esercizi 10

1   *Trasforma il testo della prima colonna da* **io** *a* **lui**. *Inserisci sulle righe* _____ *il verbo* **piacere**, *sulle righe* ____ *i* **pronomi diretti** *e sulle righe* _ _ _ _ *i* **pronomi indiretti**, *come nell'esempio.*

io	lui
Mi (*piacere*) leggere perché mi sento in un mondo diverso. La lettura secondo me è una terapia e mi aiuta tantissimo a crescere. Quando qualcuno mi regala un libro per me è sempre una festa! Ma non tutti i libri sono uguali. Ci sono libri che, anche se ben scritti, non mi colpiscono. Altre volte invece un libro mi travolge o mi emoziona, o ancora mi insegna cose che non avrei mai potuto imparare. C'è poi un altro aspetto, che mi sembra importante sottolineare: spesso i libri che mi (*piacere*) mi aiutano a dimenticare i problemi che ho.	_ *Gli* _ _____ leggere perché si sente in un mondo diverso. La lettura secondo lui è una terapia e ___ aiuta tantissimo a crescere. Quando qualcuno _ _ _ _ regala un libro per lui è sempre una festa! Ma non tutti i libri sono uguali. Ci sono libri che, anche se ben scritti, non ___ colpiscono. Altre volte invece un libro ___ travolge o ___ emoziona, o ancora _ _ _ _ insegna cose che non avrebbe mai potuto imparare. C'è poi un altro aspetto, che _ _ _ _ sembra importante sottolineare: spesso i libri che _ _ _ _ _____ ___ aiutano a dimenticare i problemi che ha.

- **Ogni pronome corretto 2 punti**   Totale: ____ / 18
- **Ogni verbo corretto 3 punti**   Totale: ____ / 6

2   *Completa la chat con il* **participio passato** *dei verbi tra parentesi e inserisci negli spazi* _ _ _ _ _ _ _ _ _ *le espressioni della lista.*

(a casa)   (fa)   (la sera prima)   (qui a Capri)

Rita è a Capri e ha lasciato la sua casa di Firenze a Stefano. Dopo qualche giorno lo contatta in *chat*.

Stefano	Hey Rita, sei on line? (*Provare*) Ho _____ a telefonarti cinque minuti _ _ _ _ _ _ _ _ ma non (*riuscire*) sono _____ a prendere la linea.
Rita	Ciao Stefano. Scusa ma _ _ _ _ _ _ _ _ il cellulare non prende molto bene. Come stai? Non (*avere*) ho _____ nessuna notizia del tuo concerto! E _ _ _ _ _ _ _ _? Tutto ok?
Stefano	Sì, tutto bene. Non so come ringraziarti! (*Passare*) Ho _____ una settimana molto movimentata, ma c'è anche una bella notizia!
Rita	Che bello! Racconta, racconta!
Stefano	Il concerto (*andare*) è _____ bene, e _ _ _ _ _ _ _ _ … (*conoscere*) ho _____ una ragazza.
Rita	WOW! ☺

- **Ogni participio corretto 1 punto**   Totale: ____ / 6
- **Ogni espressione al posto giusto 2 punti**   Totale: ____ / 8

3 *Completa il testo con i verbi al* **passato prossimo** *sulle righe* _____ *, con gli* **articoli determinativi** *sulle righe* _ _ _ _ *e con le* **preposizioni articolate** *sulle righe* _____ *, come negli esempi.*

Il 21 aprile 2009 cinquantasei tra _ _i_ _ più grandi artisti (*di*) *della* nostra storia recente, presente e futura (*registrare*) _____ una canzone tutti insieme, *Domani 21/04.09.* Lo scopo di *Domani 21/04.09 – Artisti uniti* per _ _ _ _ *Abruzzo* è stato quello di raccogliere fondi per sostenere gli interventi di ricostruzione e restauro (*di*) _____ Conservatorio "Alfredo Casella" e (*di*) _____ sede (*di*) _____ Teatro Stabile d'Abruzzo dell'Aquila, dopo il terribile terremoto (*di*) _____ 6 aprile 2009. Tutti gli artisti (*prendere*) _____ questo appuntamento con _ _ _ _ sola regola di essere fisicamente tutti insieme (*in*) _____ stesso posto – gli studi Officine Meccaniche di Milano – (*in*) _____ stesse ore, senza utilizzare _ _ _ _ rete o le tecnologie. Il ruolo (*di*) _____ musica (*avere*) _____ sempre un valore (*in*) _____ passaggi importanti di una comunità, la musica c'è (*in*) _____ momenti di difficoltà e (*in*) _____ momenti di festa, serve ad elaborare le emozioni e a dargli un posto. Il gruppo di cantanti, così ampio e vario, (*dare*) _____ un risultato sorprendente ed emozionante. Il brano infatti esprime il meglio (*di*) _____ nostro panorama musicale, con _ _ _ _ suo carico di umanità, di talento e con qualcosa di unico. Ogni cantante (*partecipare*) _____ con _ _ _ _ sua storia e ognuno (*abbassare*) _____ le sue difese e si è messo a nudo con _ _ _ _ sua voce per _ _ _ _ progetto... *Domani 21/04.09* è un progetto storico, di grande impatto sociale, perché per _ _ _ _ prima volta gli artisti tutti insieme, con management e case discografiche, (*dimostrare*) _____ che esiste una scena musicale che vive come tradizione ma anche come presenza vitale (*in*) _____ società.

adattato da: http://www.domani21aprile2009.it

- Ogni verbo corretto 2 punti   Totale: ____ / 14
- Ogni articolo e preposizione corretta 1 punto   Totale: ____ / 20

4 *Riscrivi il testo nel giusto ordine coniugando i verbi tra parentesi al* **passato prossimo**. *Attenzione: devi aggiungere un pronome relativo* **che**.

Tutto _____ _____ _____ _____ _____ del premier.	Benigni a New York, e non (*mancare*) di fare satira esaurito per il canto dei lussuriosi (*recitare*) sulle vicende

- Frase corretta 15 punti   Totale: ____ / 15

5 *Inserisci negli spazi le* **date** *della lista e aggiungi, dove necessario, due volte il pronome relativo* **che**.

(2006)   (2009)   (1265)   (14 settembre 1321)   (22 maggio)

Dante Alighieri è nato a Firenze nel _____, tra il _____ ed il 13 giugno, ed è morto a Ravenna il _____. È stato poeta, scrittore e politico italiano. È considerato il padre della lingua italiana ed è l'autore della *Divina Commedia*. Sono numerosissimi gli scrittori e gli intellettuali hanno utilizzato e continuano ad utilizzare la *Commedia* e le altre opere dantesche come fonte di ispirazione tematica, linguistica, espressiva. Tra di loro, Roberto Benigni, ha portato in tutto il mondo lo spettacolo *TuttoDante* dal _____ al _____ .

- Ogni data al posto giusto 1 punto   Totale: ____ / 5
- Ogni pronome relativo al posto giusto 4 punti   Totale: ____ / 8

☞ Totale test: ____ / 100

Cosa so fare?

Informarsi sul tempo libero	☐	☐	☐
Chiedere a una persona cosa ama fare	☐	☐	☐
Indicare gusti e preferenze	☐	☐	☐
Raccontare eventi passati	☐	☐	☐
Ricostruire l'ordine cronologico di un racconto	☐	☐	☐
Fare, accettare o rifiutare una proposta	☐	☐	☐
Concordare un appuntamento	☐	☐	☐
Chiedere e indicare la data	☐	☐	☐

Cosa ho imparato

Pensa a quello che hai imparato e scrivi...

• 5 parole o espressioni che ti sembrano molto utili:

• una cosa particolarmente difficile:

• qualche segnale discorsivo utile per comunicare (suoni, non parole vere e proprie):

• una curiosità culturale sull'Italia e gli italiani:

Cosa faccio... | conoscere una nuova persona

1 *Hai conosciuto una persona italiana, che comincia a raccontarti cosa ha fatto nel fine settimana.*
Per capire, oltre al significato di quello che dice, ci sono altre cose che ti aiutano. Quali? Segnale nella tabella.

	Mi aiuta a capire meglio, ma solo se **ho già capito tutto** quello che ha detto.	Mi aiuta a capire meglio quando **non ho capito tutto** quello che ha detto.
I gesti e la mimica	☐ sì ☐ no	☐ sì ☐ no
Il tono della voce	☐ sì ☐ no	☐ sì ☐ no
Le pause e i silenzi nel discorso	☐ sì ☐ no	☐ sì ☐ no
I segnali discorsivi che usa (*ehm, mah, beh*, ecc.)	☐ sì ☐ no	☐ sì ☐ no
L'espressione del viso	☐ sì ☐ no	☐ sì ☐ no
Altro: _____	☐ sì ☐ no	☐ sì ☐ no

2 *Lavora in gruppo: scegliete qual è la cosa che vi aiuta di più a capire un italiano che parla.*

Mi metto alla prova | tenere un diario in italiano

Per un periodo più o meno esteso (minimo una settimana), prova a scrivere in un diario (in un quaderno o al computer) tutto quello che hai fatto nella giornata. Puoi essere sintetico o dettagliato, non preoccuparti degli errori o di consultare il dizionario per cercare le parole importanti: l'importante è scrivere tutti i giorni! Il diario sarà un ricordo del periodo in cui hai studiato l'italiano e una prova dei tuoi progressi.

grammatica

glossario dei termini grammaticali

▶ termine	▶ esempio
aggettivo	*la colazione **abbondante***
aggettivo di nazionalità	*il pittore **italiano**, il pittore **francese***
articolo determinativo	***il** pomeriggio, **la** mattina*
articolo indeterminativo	***una** notte, **un** supplemento*
avverbio di modo	*Sto **bene** con Paola.*
avverbio di quantità	*In questo periodo lavoro **molto**.*
avverbio di frequenza	*Mi sveglio **sempre** alle 7.00. **Non** vado **mai** in discoteca.*
avverbio di luogo	***Qui** a Capri il cellulare non prende.*
avverbio di tempo	***Ora** ti saluto, **Dopo** il concerto…*
concordanza	***Le** camere sono pulit**e**. **Gli** albergh**i** sono pieni.*
condizionale di cortesia	***Vorrei** un cappuccino.*
congiunzione	*Giulia **e** Mauro*
coniugazione	*io lavor**o**, tu lavor**i**, lui/lei lavor**a**…*
consonante	*b, c, d, f…*
femminile	*Pilar è spagnol**a**.*
forma di cortesia	*Buongiorno avvocato. Come **sta**?*
frase dichiarativa	*Mi chiamo Paolo.*
frase interrogativa	*Che autobus devo prendere?*
frase esclamativa	*È un regalo bellissimo, grazie!*
gerundio	*Sto **guidando**.*
grado dell'avverbio	*Come stai? **Molto bene** / **Benissimo**.*
imperativo	***Prendi** il taxi. **Non prendere** la metropolitana.*
interrogativi	***Quanti** anni hai? **Che** lavoro fai?*
pronome di luogo ci	*Come **ci** arrivo?*
maschile	*Paolo è italian**o**.*
negazione	***Non** sono italiana.*
nome	*teatro, piazza, paese, città*
numero ordinale	*primo, secondo, terzo, quarto…*
participio passato	*Ho **conosciuto** una ragazza.*
passato prossimo	***Abbiamo deciso** di andare a casa sua.*
plurale	*appuntament**i**, piazz**e***
possessivi	*la **mia** giornata*
presente indicativo	***Vado** alla manifestazione.*
pronome dimostrativo	***Questa** casa è troppo piccola. **Quella** ragazza è francese.*
pronome relativo che	*Ho comprato un libro **che** parla di fantascienza.*
pronome diretto	*Ho le valigie. **Le** mettiamo nel portabagagli?*
pronome indiretto	*Che tipo di musica **vi** piace suonare?*
preposizione	*Abito **a** Roma, **in** Italia.*
preposizione articolata	***dagli** antipasti **ai** dolci*
singolare	*appuntament**o**, piazza*
verbi modali	***Posso** fare una domanda?*
verbo	*arrivare, scrivere, partire*
verbo ausiliare	*Il concerto **è** andato bene.*
vocale	*a, e, i, o, u*
verbi riflessivi	***Mi** sveglio alle 7.00.*

● L'alfabeto

L'alfabeto italiano ha 21 lettere. Altre 5 lettere sono presenti in parole di origine straniera: *j, k, w, x, y.*

Alfabeto italiano	A a	B bi	C ci	D di	E e	F effe	G gi
	H acca	I i	L elle	M emme	N enne	O o	P pi
	Q cu	R erre	S esse	T ti	U u	V vu	Z zeta

Altre lettere	J i lunga	K kappa	W doppia vu	X ics	Y ipsilon

● La pronuncia

In italiano le parole si leggono come si scrivono e a ogni lettera corrisponde un suono. Ma ci sono alcune eccezioni.

suono	lettere	esempio
[tʃ]	cia, ce, ci, cio, ciu	*ciao, cena, cinema, bacio, ciurma*
[k]	ca, che, chi, co, cu	*casa, amiche, chiamo, amico, cucina*
[dʒ]	gia, ge, gi, gio, giu	*giallo, gelato, giro, gioco, giugno*
[g]	ga, ghe, ghi, go, gu	*impiegato, spaghetti, laghi, prego, gufo*
[ʎ]	gli	*figli*
[ɲ]	gn	*gnomo*
suono muto	h	*ho, hotel*
[ʃ]	scia, sce, sci, scio, sciu	*sciabola, pesce, uscita, sciopero, asciugo*
[sk]	sca, sche, schi, sco, scu	*scala, pesche, maschile, tedesco, scusa*

● L'accento

La maggior parte della parole italiane ha l'accento sulla penultima sillaba: *studente*

Nelle altre parole l'accento può cadere:
  ▸ sull'ultima sillaba: *città*   ▸ sulla terz'ultima sillaba: *parlano*   ▸ sulla quart'ultima sillaba: *telefonano*

Quando cade sull'ultima sillaba, l'accento è indicato: *università*

L'accento può essere grave o acuto. Nelle vocali *a, i, o, u* l'accento è sempre grave: *papà, lunedì, però, più.*

Nella vocale *e* l'accento può essere grave o acuto: *caffè, perché*

● I numeri da 1 a 30

1	2	3	4	5	6	7	8	9	10
uno	due	tre	quattro	cinque	sei	sette	otto	nove	dieci

11	12	13	14	15	16	17	18	19	20
undici	dodici	tredici	quattordici	quindici	sedici	diciassette	diciotto	diciannove	venti

21	22	23	24	25	26	27	28	29	30
ventuno	ventidue	ventitré	ventiquattro	venticinque	ventisei	ventisette	ventotto	ventinove	trenta

▶ Il verbo *chiamarsi*

	chiamarsi
io	mi chiamo
tu	ti chiami
lui/lei	si chiama
noi	ci chiamiamo
voi	vi chiamate
loro	si chiamano

▶ I verbi *andare*, *essere*, *avere*

	andare	essere	avere
io	vado	sono	ho
tu	vai	sei	hai
lui/lei	va	è	ha
noi	andiamo	siamo	abbiamo
voi	andate	siete	avete
loro	vanno	sono	hanno

▶ I pronomi soggetto

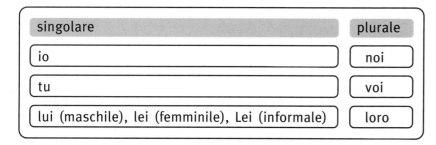

singolare	plurale
io	noi
tu	voi
lui (maschile), lei (femminile), Lei (informale)	loro

In italiano il soggetto del verbo di solito non è espresso.
* *Dove vai?*   ▸ *Vado al cinema.*

Il soggetto è espresso in casi particolari: per mettere in risalto la persona, per esprimere un'opposizione, per evitare ambiguità.
* *Lui di dov'è?*   ▸ *Lui è di Roma, io sono di Genova.*

◐ La negazione

In italiano la negazione è espressa da *no* o *non*. *No* si usa per rispondere e si mette all'inizio o alla fine della frase.

- *Sei italiano?* ▸ *No, sono spagnolo.*

Non si mette prima del verbo.

▸ *Mauro **non** parla inglese.*

◐ I numeri da 0 a 100

0	1	2	3	4	5	6	7	8	9
zero	uno	due	tre	quattro	cinque	sei	sette	otto	nove
10	11	12	13	14	15	16	17	18	19
dieci	undici	dodici	tredici	quattordici	quindici	sedici	diciassette	diciotto	diciannove
20	21	22	23	24	25	26	27	28	29
venti	ventuno	ventidue	ventitré	ventiquattro	venticinque	ventisei	ventisette	ventotto	ventinove
30	31	32	33	34	35	36	37	38	39
trenta	trentuno	trentadue	trentatré	trentaquattro	trentacinque	trentasei	trentasette	trentotto	trentanove
40	50	60	70	80	90	100			
quaranta	cinquanta	sessanta	settanta	ottanta	novanta	cento			

◐ I nomi

I nomi possono essere maschili o femminili. In genere i nomi in *-o* sono maschili (plurale *-i*) e i nomi in *-a* sono femminili (plurale *-e*). I nomi in *-e* possono essere maschili o femminili (plurale *-i*).

nomi in *-o / -a*

maschile		femminile	
singolare	plurale	singolare	plurale
teatro	teatri	piazza	piazze

nomi in *-e*

maschile		femminile	
singolare	plurale	singolare	plurale
paese	paesi	lezione	lezioni

Ci sono molti casi particolari:

- ▸ i nomi in *-tà* sono femminili e hanno il plurale uguale al singolare: *città, università.*
- ▸ alcuni nomi femminili finiscono in *-o* al singolare e al plurale: *auto, foto, moto, radio.*
- ▸ alcuni nomi maschili finiscono in *-a* (plurale *-i*): *problema* (*problemi*), *schema* (*schemi*).
- ▸ normalmente i nomi stranieri che finiscono in consonante sono maschili e con plurale invariabile: *bar, film, autobus, yogurt.*
- ▸ alcuni nomi maschili in *-co* e *-go* con l'accento sulla penultima sillaba hanno il plurale in *-chi* e *-ghi*: *tedesco* (*tedeschi*), *albergo* (*alberghi*). Eccezioni importanti: *amico* (*amici*), *greco* (*greci*).
- ▸ altri nomi maschili in *-co* e *-go* con l'accento sulla terz'ultima sillaba hanno il plurale in *-ci* e *-gi*: *medico* (*medici*), *psicologo* (*psicologi*).
- ▸ i nomi in *-ca* e *-ga* al plurale hanno una *-h-*: *amica* (*amiche*), *riga* (*righe*).
- ▸ i nomi in *-cia* e *-gia* con la *-i-* accentata hanno il plurale in *-cie* e *-gie*: *farmacia* (*farmacie*), *bugia* (*bugie*).
- ▸ i nomi in *-cia* e *-gia* con la *-i-* non accentata hanno il plurale in *-cie* e *-gie* se la sillaba è preceduta da una vocale, e in *-ce* e *-ge* se la sillaba è preceduta da una consonante: *camicia* (*camicie*), *ciliegia* (*ciliegie*), *arancia* (*arance*), *pioggia* (*piogge*).

❍ I numeri da 100 a 1000

100	110	150	200	300	500	1000
cento	centodieci	centocinquanta	duecento	trecento	cinquecento	mille

❍ Il presente indicativo dei verbi regolari in *-are*, *-ere* e *-ire*

I verbi regolari italiani si dividono in 3 gruppi: verbi in *-are*, verbi in *-ere*, verbi in *-ire*.

	-are arrivare	-ere scrivere	-ire partire
io	arrivo	scrivo	parto
tu	arrivi	scrivi	parti
lui/lei	arriva	scrive	parte
noi	arriviamo	scriviamo	partiamo
voi	arrivate	scrivete	partite
loro	arrivano	scrivono	partono

Nella prima e nella seconda persona plurale l'accento cade sulla penultima sillaba.
Nelle altre persone l'accento cade sulla stessa sillaba della prima persona singolare.

❍ Gli aggettivi in *-o* / *-a*, *-e*

In italiano esistono due gruppi di aggettivi: gli aggettivi in *-o* / *-a* (plurale *-i* / *-e*) e gli aggettivi in *-e* (plurale *-i*).

aggettivi in *-o* / *-a*

maschile		femminile	
singolare	plurale	singolare	plurale
italiano	italiani	italiana	italiane

aggettivi in *-e*

maschile		femminile	
singolare	plurale	singolare	plurale
francese	francesi	francese	francesi

❍ I colori

Gli aggettivi che indicano i colori possono essere in *-o* / *-a* o in *-e*. Alcuni colori sono invariabili.

colori in *-o* / *-a*	colori in *-e*	colori invariabili
rosso / rossa / rossi / rosse	verde / verdi	rosa
azzurro / azzurra / azzurri / azzurre	arancione / arancioni	viola
giallo / gialla / gialli / gialle	marrone / marroni	blu
grigio / grigia / grigi / grigie		
nero / nera / neri / nere		
bianco / bianca / bianchi / bianche		

Gli interrogativi

Chi?	*Chi è la tua insegnante?*
Che cosa?	*Che cosa prendi?*
Che + *nome*?	*Che ore sono?*
Come?	*Come ti chiami?*
Dove?	*Dove andiamo?*
Perché?	*Perché studi l'italiano?*
Quando?	*Quando parti per New York?*
Quanto?	*Quanto costa?*
Quanto / Quanta / Quanti / Quante + *nome*?	*Quanti anni hai?*
Quale / Quali + *nome*?	*Quali lingue parli?*

Le congiunzioni *e, o, ma*

La congiunzione *e* si usa per unire due elementi di una frase (o anche due frasi).
▸ *La doppia e la matrimoniale costano 85 euro.*

La congiunzione *o* si usa per unire due elementi che si escludono tra di loro.
▸ *Volete una camera doppia o una matrimoniale?*

La congiunzione *ma* si usa per dire una cosa in opposizione a un'altra detta prima.
▸ *La singola costa 55 euro ma per il bagno in camera c'è un supplemento di 20 euro.*

Il condizionale di cortesia *vorrei*

Vorrei (condizionale del verbo *volere*) si usa per chiedere qualcosa con cortesia.
▸ *Vorrei alcune informazioni.*

Gli articoli determinativi e indeterminativi

In italiano esistono articoli di due tipi: determinativi e indeterminativi (vedi Modulo 3).

articoli determinativi

maschile		femminile	
singolare	plurale	singolare	plurale
il	i		
		la	le
l'	gli	l'	
lo			

articoli indeterminativi

maschile	femminile
singolare	singolare
un	una
uno	un'

La frase dichiarativa, interrogativa ed esclamativa

La frase dichiarativa serve ad affermare o negare qualcosa. Ha un'intonazione uniforme (la voce non varia in modo significativo).

▸ *Mi chiamo Paolo.* ▸ *Non sono spagnolo.*

La frase interrogativa serve a domandare qualcosa.
Ha un'intonazione ascendente (la voce tende a salire).

La frase esclamativa contiene un'esclamazione.
Ha un'intonazione discendente (la voce tende a scendere).

▸ *Che autobus devo prendere?*   ▸ *È un regalo bellissimo, grazie!*

● I verbi in -*isco*

Alcuni verbi in -*ire* (*capire*, *preferire*, *finire*...) al singolare e alla terza persona plurale aggiungono -*isc*- alla radice.

	capire
io	capisco
tu	capisci
lui/lei	capisce
noi	capiamo
voi	capite
loro	capiscono

● Il verbo *fare* e altri verbi irregolari

	fare	bere	dire	stare	uscire	venire
io	faccio	bevo	dico	sto	esco	vengo
tu	fai	bevi	dici	stai	esci	vieni
lui/lei	fa	beve	dice	sta	esce	viene
noi	facciamo	beviamo	diciamo	stiamo	usciamo	veniamo
voi	fate	bevete	dite	state	uscite	venite
loro	fanno	bevono	dicono	stanno	escono	vengono

● I verbi in -*care* / -*gare*, -*ciare* / -*giare*, -*gere* / -*scere*

	-care / -gare		-ciare / -giare		-gere / -scere	
	giocare	pagare	cominciare	mangiare	leggere	conoscere
io	gioco	pago	comincio	mangio	leggo	conosco
tu	giochi	paghi	cominci	mangi	leggi	conosci
lui/lei	gioca	paga	comincia	mangia	legge	conosce
noi	giochiamo	paghiamo	cominciamo	mangiamo	leggiamo	conosciamo
voi	giocate	pagate	cominciate	mangiate	leggete	conoscete
loro	giocano	pagano	cominciano	mangiano	leggono	conoscono

◗ I verbi modali

verbi *dovere, potere, volere* e *sapere* si usano come verbi principali e anche come verbi modali (seguiti da infinito).

- ▸ *Oggi devo studiare tutto il giorno.*
- ▸ *Mio padre vuole comprare una casa a Milano.*
- ▸ *Mi dispiace, non posso venire con voi.*
- ▸ *Maria non sa cucinare.*

	dovere	potere	volere	sapere
io	devo	posso	voglio	so
tu	devi	puoi	vuoi	sai
lui/lei	deve	può	vuole	sa
noi	dobbiamo	possiamo	vogliamo	sappiamo
voi	dovete	potete	volete	sapete
loro	devono	possono	vogliono	sanno

Anche i verbi fraseologici *cominciare (a)* e *finire (di)* si comportano nello stesso modo.

- ▸ *La mattina comincio a studiare alle 10.*
- ▸ *Mario finisce di lavorare alle 8 di sera.*

◗ Gli articoli determinativi

La scelta dell'articolo determinativo dipende dalla lettera iniziale (o dalle lettere iniziali) del nome.

	maschile			femminile	
	Prima di: z, gn, ps, pn, x, y, s + cons.	*Prima di: vocale*	*Prima di: consonante*	*Prima di: consonante*	*Prima di: vocale*
singolare	lo	l'	il	la	l'
plurale	gli		i	le	

◗ Gli articoli indeterminativi

Anche la scelta dell'articolo indeterminativo dipende dalla lettera iniziale (o dalle lettere iniziali) del nome.
L'articolo indeterminativo non ha le forme del plurale.

	maschile		femminile	
	Prima di: z, gn, ps, pn, x, y, s + cons.	*Prima di: consonante o vocale*	*Prima di: consonante*	*Prima di: vocale*
singolare	uno	un	una	un'

❍ La concordanza articolo – nome – aggettivo

In italiano il genere (maschile / femminile) e il numero (singolare / plurale) del *nome* determinano il genere
e il numero dell'articolo e dell'aggettivo.

▸ *Il letto è comodo.*

▸ *Gli alberghi sono pieni.*

▸ *La colazione è abbondante.*

▸ *Le camere sono pulite.*

❍ I nomi delle professioni

I nomi di professione in *-ista* hanno il singolare maschile e femminile uguale (plurale *-i* / *-e*):

▸ *Ugo fa il giornalista.*

▸ *Sandra fa la giornalista.*

Molti nomi di professione al maschile singolare finiscono in *-iere* e al femminile in *-iera*:

▸ came**riere** / came**riera**

Altri nomi di professione al maschile singolare finiscono in *-tore* e al femminile in *-trice*:

▸ scrit**tore** / scrit**trice**

Un caso particolare è il nome *professore* (femminile: *professoressa*).

❍ La forma di cortesia

Per la forma di cortesia si usa la terza persona singolare femminile (*Lei*).

▸ *Buongiorno avvocato. Come sta?* • *Bene grazie. E Lei?*

▸ *Signor Belli, Lei quanti anni ha?*

Al plurale si usa la seconda persona plurale *Voi* (o più raramente la terza persona plurale *Loro*).

▸ *Buongiorno signori, cosa prendete (prendono)?*

❍ Avverbi di modo e di quantità

Gli avverbi di modo indicano il "come".

bene ▸ *Sto bene con Paola.*

male ▸ *Aldo sta male.*

Gli avverbi di quantità indicano il "quanto".

molto ▸ *Sabrina lavora molto.*

poco ▸ *In questo periodo dormo poco.*

un po' ▸ *Posso avere un po' di vino?*

❍ Il grado dell'avverbio

Per intensificare il grado di un avverbio si può usare *molto* prima dell'avverbio o il suffisso *-issimo* alla fine.

▸ *Come stai?* • *Molto bene, grazie. / Benissimo, grazie.*

❍ Le preposizioni semplici *di, a, da, in, con, su,* per, *tra / fra*

Le preposizioni semplici hanno moltissimi usi ed è quasi impossibile indicare delle regole di uso.

di ▸ *Di dove sei? | Compro una bottiglia di vino. | Bevo un po' di caffè.*

a ▸ *Vado a casa. | Abito a Napoli. | Telefono a Luca.*

da ▸ *Da dove vieni? | Vivo a Roma da due anni. | Vado da Mario.*

in ▸ *Abito in Italia. | Sono in palestra. | Vado in macchina.*

con ▸ *Con chi vai al cinema? | Parto con il treno.*

su ▸ *Leggo il giornale su internet. | Su questo argomento non so niente.*

per ▸ *Devo comprare un regalo per Lucia. | Chiamo per avere alcune informazioni.*

tra / fra ▸ *Il treno parte tra / fra un'ora. | Abito tra / fra Pisa e Firenze.*

◗ Le preposizioni di luogo *a*, *in*, *da*, *di*

Quando il luogo è **geografico** si usa la preposizione *in* con i nomi di regione e nazione e la preposizione *a* con i nomi di città.

▸ *Firenze è in <u>Toscana</u>.*   ▸ *Paul abita in <u>Francia</u>.*   ▸ *Voglio andare a <u>New York</u>.*

Quando il luogo è una **persona** (un nome, un pronome, ecc.) si usa la preposizione *da*.

▸ *Mario va da <u>Francesco</u>.*   ▸ *Venite a mangiare da <u>me</u> stasera?*

Per indicare la provenienza si usa la preposizione *di*.

▸ *Io non sono di Roma, sono di Napoli.*

◗ I verbi riflessivi

I verbi riflessivi aggiungono un pronome prima del verbo e si coniugano come i verbi non riflessivi.

lavarsi		
io	mi	lavo
tu	ti	lavi
lui / lei	si	lava
noi	ci	laviamo
voi	vi	lavate
loro	si	lavano

I verbi riflessivi indicano un'azione che "si riflette" sul soggetto.

verbo riflessivo		verbo non riflessivo
Io mi vesto. (vestirsi)	vs	*<u>La mamma</u> veste <u>Marco</u>. (vestire)*
Io mi lavo le mani. (lavarsi)	vs	*<u>Franco</u> lava <u>la macchina</u>. (lavare)*

◗ *Anche / Neanche*

Anche si usa per affermare qualcosa, *neanche* si usa per negare qualcosa.

▸ *Mi sveglio sempre alle 8.*   • *Anche io mi alzo presto.*

▸ *A pranzo di solito non mangio.*   • *Neanche io.*

◗ Gli avverbi di frequenza

Gli avverbi di frequenza indicano la frequenza con cui si svolge un'azione.

+++++ **sempre**	*Mi sveglio **sempre** alle 8.*
++++ **quasi sempre**	*La sera sto **quasi sempre** a casa.*
+++ **spesso / di solito**	*A pranzo **di solito** non mangio.*
++ **qualche volta / a volte**	*La domenica **qualche volta** / **a volte** vado al cinema.*
+ **raramente / quasi mai**	*Vado **raramente** a ballare. / Non vado **quasi mai** a ballare.*
− **mai**	*Io e Laura non siamo **mai** sullo stesso aereo.*

◗ L'avverbio di frequenza *mai*

Prima dell'avverbio *mai* si deve usare la negazione *non*.

▸ ***Non** vado **mai** al cinema.*

Quando è usato all'inizio di una domanda, l'avverbio *mai* significa *qualche volta / una volta* e non vuole la negazione.

▸ *Tu vai **mai** al cinema?*   • *Sì, qualche volta.*

◉ Gli articoli con i giorni della settimana

I giorni della settimana sono tutti maschili, solo "domenica" è femminile:

▸ *il lunedì, il martedì, il mercoledì, il giovedì, il venerdì, il sabato, la domenica.*

◉ I possessivi

Gli aggettivi possessivi concordano in genere e numero con l'oggetto a cui si riferiscono.

▸ *Il venerdì pomeriggio viene a trovarmi Rita con i **suoi** <u>bambini</u>.* ▸ ***La mia** <u>ragazza</u> fa la hostess.*

L'aggettivo possessivo *loro* è invariabile.

▸ *Il **loro** amico non può venire alla festa.* ▸ *La **loro** casa è in centro.*

Di solito gli aggettivi possessivi hanno l'articolo.

▸ *Dov'è **la tua** borsa?* ▸ ***Le mie** amiche partono alle 8.*

	singolare		plurale	
	maschile	femminile	maschile	femminile
io	il mio	la mia	i miei	le mie
tu	il tuo	la tua	i tuoi	le tue
lui/lei	il suo	la sua	i suoi	le sue
noi	il nostro	la nostra	i nostri	le nostre
voi	il vostro	la vostra	i vostri	le vostre
loro	il loro	la loro	i loro	le loro

◉ I possessivi e i nomi di parentela

Con i possessivi + i nomi di parentela al singolare non si usa l'articolo.

▸ *Quanti anni ha **tua sorella**?* (ma: *Quanti anni hanno **le tue sorelle**?*)

▸ *Come si chiama **suo zio**?* (ma: *Come si chiamano **i suoi zii**?*)

▸ ***Mio padre** fa l'avvocato.*

Con *loro* si usa sempre l'articolo anche con i nomi di parentela.

▸ ***La loro nonna** abita a Venezia.* ▸ ***I loro zii** vivono in Australia.*

Attenzione: prima del possessivo + *mamma* o *papà* si deve usare l'articolo.

▸ ***La sua mamma** non sta bene.* ▸ ***Il mio papà** ha 45 anni.*

◉ C'è / Ci sono

Per indicare la presenza di qualcosa o qualcuno in un posto, al singolare si usa *c'è* e al plurale si usa *ci sono*.

▸ *In Puglia **c'è** <u>un mare</u> bellissimo.* ▸ *D'estate **ci sono** <u>molti turisti</u>.*

◉ I numeri dopo 1000

1.000	1.001	1.100	2.000	10.000
mille	milleuno	millecento	duemila	diecimila

100.000	1.000.000	2.000.000	1.000.000.000	2.000.000.000
centomila	un milione	due milioni	un miliardo	due miliardi

❯ I numeri ordinali

numeri ordinali sono aggettivi e vanno prima del nome.
*Devi scendere alla **seconda** fermata.*

1	2	3	4	5	6	7	8
primo	secondo	terzo	quarto	quinto	sesto	settimo	ottavo

9	10	11	12	13	14	15	16
nono	decimo	undicesimo	dodicesimo	tredicesimo	quattordicesimo	quindicesimo	sedicesimo

17	18	19	20	30	100	1.000	1.000.000
iciassettesimo	diciottesimo	diciannovesimo	ventesimo	trentesimo	centesimo	millesimo	milionesimo

❯ *Stare* + gerundio

Per esprimere un'azione che accade "in questo momento" si può usare la costruzione *stare* + gerundio.

	stare	gerundio
io	sto	verbi in **-are**: studiare ▸ studi**ando**
tu	stai	
lui/lei	sta	verbi in **-ere**: leggere ▸ legg**endo**
noi	stiamo	
voi	state	verbi in **-ire**: dormire ▸ dorm**endo**
loro	stanno	

▸ *Che **stai facendo**?*
• ***Sto guardando** la tv.*

▸ *Che **sta facendo** Aldo?*
• ***Sta lavorando**.*

▸ *Che **state facendo**?*
• ***Stiamo andando** al cinema.*

❯ Il pronome di luogo *ci*

Ci è un pronome. Si usa per non ripetere il nome di un luogo detto prima.

Tu sei di <u>Firenze</u>?   • *Si, ma non **ci** vado da molti anni.*
A che ora vai <u>a scuola</u> la mattina?   • *Di solito **ci** vado verso le 8.*

❯ Gli avverbi di luogo

destra / a sinistra   *Devi girare **a sinistra** e poi **a destra**.*
accanto / vicino   *La farmacia è **accanto** / **vicino** al bar.*
davanti / di fronte   *Il ristorante è **davanti** / **di fronte** alla banca.*
dietro   *La moto è **dietro** alla macchina rossa.*
sopra   *I libri sono **sopra** al mio tavolo.*
sotto   *Il gatto è **sotto** al letto.*
qui / qua   *Puoi venire **qui** / **qua**, per favore?*
lì / là   *Arrivo **lì** / **là** tra cinque minuti.*

❯ L'indirizzo

Per chiedere l'indirizzo si usa la formula *Tu dove abiti?* Per dire l'indirizzo di solito si usa il nome della strada (o piazza) seguito dal numero civico.

▸ *Tu dove abiti?*   • *Io abito in **via del Palazzo Bruciato 8**.*

◗ L'imperativo

L'imperativo si usa per dare ordini o consigli.
La coniugazione è uguale al presente indicativo,
a parte la seconda persona singolare (tu)
dei verbi in -*are* che finisce in -*a*.

	guardare	chiedere	partire
tu	guarda	chiedi	parti
noi	guardiamo	chiediamo	partiamo
voi	guardate	chiedete	partite

Per formare l'imperativo negativo si aggiunge
non prima dell'imperativo, a parte la seconda
persona singolare, che si forma con
non + l'infinito.

	guardare	chiedere	partire
tu	non guardare	non chiedere	non partire
noi	non guardiamo	non chiediamo	non partiamo
voi	non guardate	non chiedete	non partite

I verbi *avere*, *essere* e *sapere* hanno l'imperativo irregolare alla
seconda persona singolare (tu) e alla seconda persona plurale (voi).

	avere	essere	sapere
tu	abbi	sii	sappi
voi	abbiate	siate	sappiate

I verbi *andare*, *dare*, *fare* e *stare* hanno due
forme per l'imperativo di seconda persona
singolare (tu). Il verbo *dire* ha una sola forma.

	andare	dare	fare	stare	dire
tu	vai / va'	dai / da'	fai / fa'	stai / sta'	di'

◗ *Questo* e *quello*

Il pronome dimostrativo *questo* si usa quando l'oggetto è **vicino**
alla persona che parla.

▸ *Quale libro preferisci?* • *Questo.*

Il pronome dimostrativo *quello* si usa quando l'oggetto è
lontano dalla persona che parla.

▸ *Qual è la tua borsa?* • *È quella vicino alla finestra.*

Questo e *quello* possono essere usati anche come aggettivi.

▸ *Questa casa è troppo piccola per noi.*

▸ *Quelle ragazze sono francesi.*

questo	singolare	plurale
maschile	questo	questi
femminile	questa	queste

quello	singolare	plurale
maschile	quello	quelli
femminile	quella	quelle

◗ I pronomi diretti

I pronomi diretti si usano per non ripetere un nome (un oggetto diretto). I pronomi di terza persona (*lo, la, li, le*)
concordano con l'oggetto.

▸ *Vuoi un caffè?* • *No, grazie. Lo prendo più tardi.*

▸ *Chi è quella ragazza?* • *Non la conosco.*

▸ *Mi chiami quando arrivi?* • *Sì, ti chiamo, stai tranquillo.*

Il pronome *lo* può sostituire anche una frase.

▸ *Dov'è Mario?* • *Non lo so.*

Qualche volta si usa il pronome diretto insieme all'oggetto.

▸ *Gli esercizi li faccio domani, ora non posso.*

I pronomi diretti vanno prima del verbo.

Con un **verbo modale** + l'infinito si possono mettere prima del verbo modale o alla fine dell'infinito.

▸ *Chi accompagna i bambini a scuola?*

• *Li puoi accompagnare tu? / Puoi accompagnarli tu?*

	singolare	plurale
prima persona	mi	ci
seconda persona	ti	vi
terza persona maschile	lo	li
terza persona femminile	la	le

○ I pronomi indiretti

pronomi indiretti si usano per sostituire una persona o un oggetto preceduti dalla preposizione *a* (complemento di ermine).

Puoi dire <u>a Paolo</u> di comprare il biglietto?
Cosa regali <u>a Rita</u> per il suo compleanno?

• *D'accordo, **gli** scrivo subito una mail.*
• *__Le__ regalo un libro.*

pronomi indiretti si usano soprattutto con alcuni verbi (*piacere, dispiacere, sembrare*, ecc.).

__Ti piace__ il rock?   ▸ *Non posso venire con voi, **mi dispiace**.*

Nell'italiano molto ricercato si usa la forma *loro* al posto del pronome indiretto di terza persona plurale *gli*. *Loro* si usa dopo il verbo.

*L'insegnante saluta gli studenti e **gli** dice / dice **loro** di aprire il libro.*

pronomi indiretti vanno prima del verbo. Con **un verbo modale** + l'infinito si possono mettere prima del verbo modale o alla fine dell'infinito.

*Sai dov'è Susanna? Devo dir**le** / **Le** devo dire una cosa importante.*

Le forme toniche (*a me, a te, a lui, a lei, a noi, a voi, a loro*), si usano quando si vuole dare particolare importanza alla persona.

__A me__ Maria sembra molto simpatica. __A te__?

	singolare	plurale
prima persona	mi (a me)	ci (a noi)
seconda persona	ti (a te)	vi (a voi)
terza persona maschile	gli (a lui)	gli (a loro)
terza persona femminile	le (a lei)	gli (a loro)

○ Il verbo *piacere*

Quando il verbo *piacere* si riferisce a un nome singolare o è seguito da un verbo all'infinito, si usa la terza persona singolare *piace*.

*Mi **piace** <u>la musica jazz</u>.*
*Mi **piace** <u>scherzare</u>.*

Quando si riferisce a un nome plurale si usa la terza persona plurale *piacciono*.

*Mi **piacciono** <u>le cose difficili</u>.*

Il verbo *piacere* di solito è preceduto dai pronomi indiretti.

*Ti **piacciono** le moto?*
Di solito Marco mangia il gelato?

• *No, non **mi** piacciono, preferisco le macchine.*
• *Sì, **gli** piace moltissimo.*

● Il passato prossimo

Il passato prossimo si usa per parlare di azioni ed eventi passati conclusi. È formato dal presente indicativo del verbo *avere* o *essere* + il participio passato.

▸ *Ieri sera **ho guardato** un film in tv.*
▸ *Domenica Sergio **è andato** al mare.*

Il *participio passato* si forma così:

	guardare	andare
io	ho guardato	sono andato / a
tu	hai guardato	sei andato / a
lui/lei	ha guardato	è andato / a
noi	abbiamo guardato	siamo andati / e
voi	avete guardato	siete andati / e
loro	hanno guardato	sono andati / e

I *-are*

prov<u>are</u> ▸ prov*ato*

II *-ere*

cad<u>ere</u> ▸ cad*uto*

III *-ire*

riusc<u>ire</u> ▸ riusc*ito*

Molti verbi (soprattutto in *-ere*) hanno un participio passato irregolare.

conoscere	▸ **conosciuto**	piacere	▸ **piaciuto**
dire	▸ **detto**	prendere	▸ **preso**
essere	▸ **stato**	scrivere	▸ **scritto**
fare	▸ **fatto**	vedere	▸ **visto**
leggere	▸ **letto**	venire	▸ **venuto**

Quando l'ausiliare è il verbo *essere*, il participio passato concorda con il soggetto.

▸ *Ieri <u>Marco</u> è andat**o** al cinema.*
▸ *Ieri <u>Paola</u> è andat**a** al cinema.*
▸ *Ieri <u>Marco e Luigi</u> sono andat**i** al cinema.*
▸ *Ieri <u>Paola e Concetta</u> sono andat**e** al cinema.*

La maggior parte dei verbi usa l'ausiliare *avere*. I verbi riflessivi e alcuni verbi che indicano uno spostamento o stato nello spazio usano *essere*.

▸ *Stamattina **mi sono svegliato** tardi.*
▸ *Il treno **è partito** 5 minuti fa.*
▸ *Marcello **è caduto** dalla moto.*
▸ *A che ora **sei tornato** a casa ieri sera?*
▸ *Ieri sera **siamo rimasti** a casa.*

● Il pronome relativo *che*

Il pronome relativo *che* si usa per unire due frasi che hanno un elemento in comune. *Che* sostituisce quell'elemento.

*Ho comprato **un libro**.*

      +   = *Ho comprato un libro **che** parla di fantascienza.*

***Il libro** parla di fantascienza.*

Che può sostituire un soggetto o un oggetto diretto (un oggetto senza preposizione).

*<u>Il ragazzo</u> **che** abita con me è americano.*

[soggetto]

*<u>Il ragazzo</u> **che** ho salutato è americano.*

[oggetto diretto]

❯ Le preposizioni articolate

e preposizioni semplici *di, a, da, in, su* possono unirsi con l'articolo determinativo e formare una preposizione articolata.

	il	lo	l'	la	i	gli	le
di	del	dello	dell'	della	dei	degli	delle
a	al	allo	all'	alla	ai	agli	alle
da	dal	dallo	dall'	dalla	dai	dagli	dalle
in	nel	nello	nell'	nella	nei	negli	nelle
su	sul	sullo	sull'	sulla	sui	sugli	sulle

❯ Le preposizioni di tempo

al... al...	*Lavoro **dal** lunedì **al** venerdì.*
a	*Sono arrivato due ore **fa**.*
fra / tra	*Il treno parte **fra** / **tra** cinque minuti.*
nel	*Sono nato **nel** 1980.*

❯ Gli avverbi di tempo

ora	*Ora non posso parlare, ti chiamo domani.*
prima	***Prima** di partire, vai a salutare tuo padre.*
dopo / poi	*Mangio un panino e **dopo** / **poi** torno in ufficio.*
appena	***Appena** arrivo, ti telefono.*
ancora	*Ho mandato una mail a Lucia, ma non mi ha **ancora** risposto.*
già	*Mauro è **già** arrivato, Luca invece è in ritardo.*
presto	*La mattina mi alzo **presto**.*

❯ La data

Per la data in italiano si usano i numeri cardinali.

3 marzo 2010
tre marzo duemiladieci

Solo per il primo giorno del mese si usano i numeri ordinali.

1° marzo 2010
primo marzo duemiladieci

Nelle lettere o all'inizio di un testo la data si può scrivere in vari modi.

Roma, 6 agosto 2010
Roma, 6/8/2010
martedì 6 agosto 2010

Negli altri casi si usa l'articolo, eccetto quando c'è il giorno della settimana.

*Sono nato **il** 16 luglio 1992.*
*Oggi è **il** 10 settembre.*
Parto mercoledì 10 settembre.

griglia di comparazione tra le competenze
previste per il Livello A1 dal *Quadro comune europeo* di riferimento per le lingue e i contenuti di Domani 1

	Descrizione delle competenze acquisite Sono in grado di:	Attività in Domani 1 (numero di pagina)
produzione orale	Presentarmi, dire che cosa faccio, da dove vengo, dove abito, dove vado. So svolgere attività analoghe anche parlando di altre persone.	11, 15, 21, 89, 98
produzione orale	Fare lo spelling.	14, 15
produzione orale	Memorizzare e recitare brevi dialoghi con le giuste pause e intonazione.	22
produzione orale	Formulare brevi frasi per narrare eventi passati.	127
produzione scritta	Produrre testi elementari, scrivere frasi isolate o liste di parole reagendo a un input non verbale (immagini, musica, suono…).	62, 99
produzione scritta	Produrre un breve volantino su un evento culturale.	29
produzione scritta	Fornire informazioni elementari su me stesso e altre persone (preferenze, luogo di residenza, attività nel tempo libero…), sia al presente che al passato.	11, 25, 79, 83, 122, 133
produzione scritta	Scrivere brevi e-mail per richiedere informazioni e rispondere a una richiesta analoga.	51, 106
comprensione orale	Cogliere le informazioni principali di conversazioni semplici (formali o informali) e le relative espressioni riferite alla vita quotidiana in generale.	20, 21, 24, 36, 41, 46, 63, 64, 70, 84, 85, 95, 96, 97, 119, 12
comprensione orale	Capire istruzioni formulate lentamente e in modo chiaro e seguire indicazioni stradali brevi e semplici.	95, 100, 108
comprensione orale	Capire le informazioni principali di brevi annunci formulati in modo chiaro e articolato.	19
comprensione orale	Capire le cifre e i numeri telefonici pronunciati in modo chiaro.	24, 25, 88
comprensione orale	Capire le informazioni principali di servizi giornalistici di argomento corrente enunciati in modo chiaro e articolato.	59
comprensione orale	Capire il senso generale o informazioni specifiche di un brano canoro.	117, 118
comprensione scritta	Riconoscere nomi, parole familiari, frasi isolate ed espressioni elementari collegati alla vita quotidiana o di argomento comune in brevi dialoghi, e-mail, post, SMS, ecc.	23, 26, 35, 48, 51, 69, 78, 81, 87, 104, 106, 123, 124
comprensione scritta	Capire le informazioni principali di un breve articolo tratto dalla stampa quotidiana.	66, 128
comprensione scritta	Farmi un'idea del contenuto di materiale informativo semplice e di brevi descrizioni, soprattutto con l'ausilio di immagini.	48, 57, 78, 102, 116
comprensione scritta	Capire indicazioni scritte brevi e semplici per andare da X a Y.	107
comprensione scritta	Ricomporre un breve racconto posizionandone le frasi in un ordine coerente.	42, 66, 108, 125
interazione orale	Chiedere, fornire e capire indicazioni (se mi vengono rivolte lentamente, chiaramente e direttamente) e seguire semplici spiegazioni.	101, 102, 111
interazione orale	Presentare me stesso o qualcun altro, scusarmi, salutare, congedarmi, ringraziare e rispondere ai ringraziamenti, indicare la mia professione e il mio luogo di residenza. Sono inoltre in grado di formulare domande per ottenere le informazioni di cui sopra.	12, 13, 15, 22, 24, 25, 43, 46, 70, 71, 108
interazione orale	Chiedere a qualcuno come sta e reagire alle notizie.	65
interazione orale	Chiedere e fornire informazioni semplici che riguardano argomenti familiari e formulare brevi enunciati finalizzati alla soddisfazione di bisogni elementari e concreti.	11, 15, 21, 24, 25, 34, 37, 45, 46, 50, 61, 70, 71, 73, 82, 86, 94, 117
interazione orale	Cavarmela con numeri, prezzi, orari e date.	13, 25, 35, 37, 42, 43, 45, 46, 88, 130
interazione orale	Collocare azioni in un tempo indefinito o definito usando espressioni quali: la domenica, la sera, la settimana scorsa, il venerdì sera, alle tre, un mese fa, fra due settimane, ecc.	64, 82, 125
interazione orale	Aprire una conversazione telefonica.	28, 29, 46
interazione orale	Formulare ipotesi semplici e confrontarle con quelle di un'altra persona.	64, 87, 108, 117
interazione orale	Rivolgermi a qualcuno o attirare la sua attenzione in modo formale o informale.	64, 70, 71
interazione orale	Improvvisare un dialogo sulla base di un input verbale.	67
interazione orale	Confrontarmi con qualcuno usando frasi semplici sugli aspetti positivi e negativi di un fenomeno, esprimere brevemente il mio parere e i miei gusti, accordo o disaccordo.	84, 87, 99, 105, 121, 122
interazione orale	Spiegare in modo elementare il funzionamento di una regola grammaticale.	83, 85
interazione orale	Fare una proposta, rispondere a un invito e concordare un appuntamento.	89, 131